하루 한 장 75일 ~~완성~~

교과 연산

F3

초6 소수의 나눗셈

변화를 정확히 이해해야 합니다.

수학의 기본이면서 이제는 필수가 된 연산 학습, 그런데 왜 우리 아이들은 많은 학습지를 풀고도 학교에 가면 연산 문제를 해결하지 못할까요?

지금 우리 아이들이 학습하는 교과서는 과거와는 많이 다릅니다. 단순 계산력을 확인하는 문제 대신 다양한 상황을 제시하고 상황에 맞게 문제를 해결하는 과정을 평가합니다. 그래서 단순히 계산하여 답을 내는 것보다 문장을 이해하고 상황을 판단하여 스스로 식을 세우고 문제를 해결하는 복합적인 사고 과정이 필요합니다.

그림을 보고 상황을 판단하는 능력, 그림을 보고 상황을 말로 표현하는 능력, 문장을 이해하는 능력 등 상황 판단 능력을 길러야 하는 이유입니다.

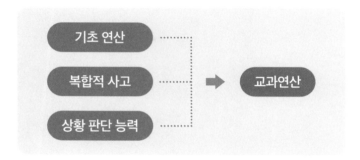

연산 원리를 학습함에 있어서도 대표적인 하나의 풀이 방법을 공식처럼 외우기만 해서는 지금의 연산 문제를 해결하기 어렵습니다. 연산 학습과 함께 다양한 방법으로 수를 분해하고 결합하는 과정, 즉 수 자체에 대한 학습도 병행되어야 합니다.

교과연산은 연산 학습과 함께 수 자체를 온전히 학습할 수 있도록 단계마다 '수특강'을 구성하고 있습니다. 계산은 문제를 해결하는 하나의 과정으로서의 의미가 큽니다.

학교에서 배우게 될 내용과 직접적으로 관련이 있는 교과연산으로 가장 먼저 시작하기를 추천드립니다. 요즘 연산은 교과 연산입니다.

"계산은 그 자체가 목적이 아닙니다. 문제를 해결하는 하나의 과정입니다."

하루 **한** 장, **75**일에 완성하는 **교과연산**

한 단계는 총 4권으로 수를 학습하는 0권과 연산을 학습하는 1권, 2권, 3권으로 구성되어 있습니다.

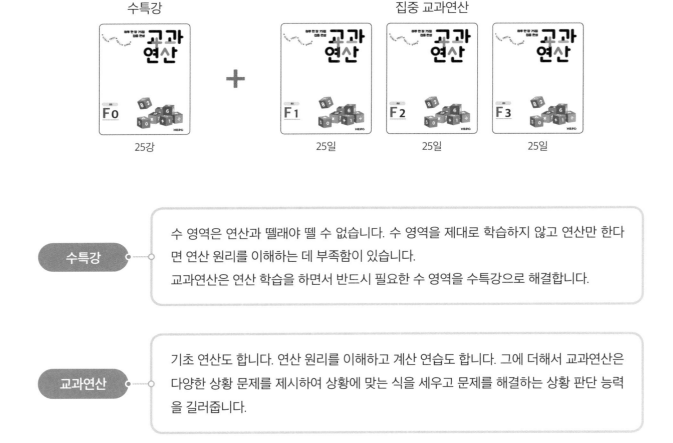

수특강
F0
25강

집중 교과연산
F1
25일
F2
25일
F3
25일

수특강
수 영역은 연산과 뗄래야 뗄 수 없습니다. 수 영역을 제대로 학습하지 않고 연산만 한다면 연산 원리를 이해하는 데 부족함이 있습니다.
교과연산은 연산 학습을 하면서 반드시 필요한 수 영역을 수특강으로 해결합니다.

교과연산
기초 연산도 합니다. 연산 원리를 이해하고 계산 연습도 합니다. 그에 더해서 교과연산은 다양한 상황 문제를 제시하여 상황에 맞는 식을 세우고 문제를 해결하는 상황 판단 능력을 길러줍니다.

"연산을 이해하기 위해서는 수를 먼저 이해해야 합니다."

원리는 기본, 복합적 사고 문제까지 다루는 교과연산

원리
수와 연산의 원리를
이해하고 연습합니다.

복합적 사고
연산 원리를 이용하여
다양한 소재의 복합적
문제를 해결합니다.

상황 판단 문제
문장 이해력을 기르고
상황에 맞는 식을 세워
문제를 해결합니다.

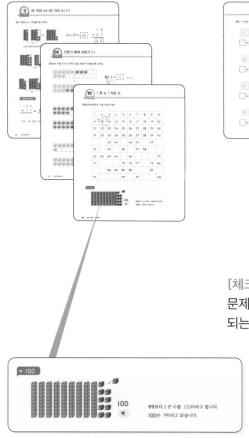

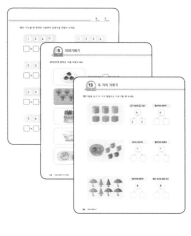

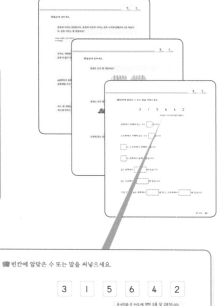

[체크 박스]
문제를 해결하는 데 도움이
되는 방향을 제시합니다.

■ 빈칸에 알맞은 수 또는 말을 써넣으세요.

3	1	5	6	4	2

순서대로 수 카드에 적힌 수를 잘 구분합니다.

[개념 포인트]
꼭 필요한 기본 개념을
설명합니다.

"교과연산은 꼬이고 꼬인 어려운 연산이 아닙니다.
일상 생활 속에서 상황을 판단하는 능력을 길러주는 연산입니다."

하루 **한** 장, 75일 집중 완성 교과연산 **묻고 답하기**

Q1 왜 교과연산인가요?

지금의 교과서는 과거의 교과서와는 많이 다릅니다. 하지만 아쉽게도 기존의 연산학습지는 과거의 연산 학습 방법을 그대로 답습하고 변화를 제대로 반영하지 못하고 있습니다. 교과연산은 교과서의 변화를 정확히 이해하고 체계적으로 학습을 할 수 있도록 안내합니다.

Q2 다른 연산 교재와 어떻게 다른가요?

교과연산은 변화된 교과서의 핵심 내용인 상황 판단 능력과 복합적 사고력을 길러주는 최신 연산 프로그램입니다. 또한 연산 학습의 바탕이 되는 '수'를 수특강으로 다루고 있어 수학의 기본이 되는 연산학습을 체계적으로 학습할 수 있습니다.

Q3 학교 진도와는 맞나요?

네, 교과연산은 학교 수업 진도와 최신 개정된 교과 단원에 맞추어 개발하였습니다.

Q4 단계 선택은 어떻게 해야 할까요?

권장 연령의 학습을 추천합니다.
다만, 처음 교과 연산을 시작하는 학생이라면 한 단계 낮추어 시작하는 것도 좋습니다.

Q5 '수특강'을 먼저 해야 하나요?

'수특강'을 가장 먼저 학습하는 것을 권장합니다. P단계를 예로 들어보면 P0(수특강)을 먼저 학습한 후 차례대로 P1~P3 학습을 진행합니다. '수특강'은 각 단계의 연산 원리와 개념을 정확하게 이해하고 상황 문제를 해결하는 데 디딤돌이 되어줄 것입니다.

이 책의 차례

1주차 • 자릿수가 같은 나눗셈   7

2주차 • 자릿수가 다른 나눗셈   19

3주차 • 자연수에서 나누기   31

4주차 • 소수의 나눗셈   43

5주차 • 나누어떨어지지 않는 몫   55

1주차 자릿수가 같은 나눗셈

▶ **51**일 분수로 계산하기

▶ **52**일 자연수로 계산하기

▶ **53**일 세로로 계산하기

▶ **54**일 mm, cm, m

▶ **55**일 이야기하기

📘 소수의 나눗셈을 분수의 나눗셈으로 바꾸어 계산해 보세요.

$$2.4 \div 0.3 = \frac{24}{10} \div \frac{3}{10} = \boxed{} \div \boxed{} = \boxed{}$$

$$3.12 \div 0.24 = \frac{312}{100} \div \frac{24}{100} = \boxed{} \div \boxed{} = \boxed{}$$

$$7.5 \div 0.5 = \frac{\boxed{}}{10} \div \frac{\boxed{}}{10} = \boxed{} \div \boxed{} = \boxed{}$$

$$5.25 \div 1.05 = \frac{\boxed{}}{100} \div \frac{\boxed{}}{100} = \boxed{} \div \boxed{} = \boxed{}$$

$$51.2 \div 0.8 = \frac{\boxed{}}{10} \div \frac{\boxed{}}{10} = \boxed{} \div \boxed{} = \boxed{}$$

★ 분수로 계산하기

분모가 같은 나눗셈은 분자끼리 나누면 되므로 소수를 분모가 10, 100인 분수로 나타내어 분자끼리 나눕니다.

$$1.2 \div 0.2 = \frac{12}{10} \div \frac{2}{10} = 12 \div 2 = 6 \qquad 1.56 \div 0.13 = \frac{156}{100} \div \frac{13}{100} = 156 \div 13 = 12$$

📖 다음과 같이 소수의 나눗셈을 분수의 나눗셈으로 바꾸어 계산해 보세요.

$$4.9 \div 0.7 = \frac{49}{10} \div \frac{7}{10} = 49 \div 7 = 7$$

$5.4 \div 0.6$

$9.8 \div 1.4$

$93.6 \div 7.2$

$1.17 \div 0.13$

$7.56 \div 0.54$

자연수로 계산하기

🗂 자연수의 나눗셈을 이용하여 소수의 나눗셈을 계산해 보세요.

$8.5 \div 0.5 = \boxed{}$

↓10배 ↓10배

$85 \div 5 = \boxed{}$

> 나누어지는 수와 나누는
> 수에 같은 수를 곱하면
> 몫은 변하지 않습니다.

$4.96 \div 0.08 = \boxed{}$

↓100배 ↓100배

$496 \div 8 = \boxed{}$

$4.8 \div 1.6 = \boxed{}$

↓10배 ↓$\boxed{}$배

$48 \div 16 = \boxed{}$

$7.48 \div 0.22 = \boxed{}$

↓100배 ↓$\boxed{}$배

$748 \div 22 = \boxed{}$

$29.4 \div 4.2 = \boxed{}$

↓$\boxed{}$배 ↓10배

$294 \div 42 = \boxed{}$

$3.72 \div 0.62 = \boxed{}$

↓$\boxed{}$배 ↓100배

$372 \div 62 = \boxed{}$

$43.4 \div 0.7 = \boxed{}$

↓$\boxed{}$배 ↓$\boxed{}$배

$434 \div 7 = \boxed{}$

$5.28 \div 1.32 = \boxed{}$

↓$\boxed{}$배 ↓$\boxed{}$배

$528 \div 132 = \boxed{}$

📘 계산해 보세요.

$1.8 \div 0.3 = 18 \div \boxed{} = \boxed{}$

$3.92 \div 0.14 = \boxed{} \div 14 = \boxed{}$

$12.8 \div 0.8 = \boxed{} \div 8 = \boxed{}$

$2.24 \div 0.28 = 224 \div \boxed{} = \boxed{}$

$6.4 \div 0.4$ $8.32 \div 0.64$

$20.7 \div 0.9$ $0.72 \div 0.12$

$11.5 \div 2.3$ $5.18 \div 0.37$

세로로 계산하기

🟦 빈칸에 알맞은 수를 써넣으세요.

$$
0.9\,\overline{)7.2}
\begin{array}{r} 8 \\ \hline \\ \fbox{} \\ \hline 0 \end{array}
$$

$$
0.5\,\overline{)6.5}
\begin{array}{r} \fbox{} \\ \hline \\ \fbox{} \\ \hline 1\ 5 \\ \fbox{} \\ \hline 0 \end{array}
$$

$$
1.2\,\overline{)20.4}
\begin{array}{r} 1\ 7 \\ \hline \\ 1\ 2 \\ \fbox{} \\ \fbox{} \\ \hline 0 \end{array}
$$

$$
0.6\,2\,\overline{)1.8\,6}
\begin{array}{r} 3 \\ \hline \\ \fbox{} \\ \hline 0 \end{array}
$$

$$
0.5\,6\,\overline{)6.7\,2}
\begin{array}{r} \fbox{} \\ \hline \\ \fbox{} \\ \hline 1\ 1\ 2 \\ \fbox{} \\ \hline 0 \end{array}
$$

$$
0.3\,5\,\overline{)8.7\,5}
\begin{array}{r} 2\ 5 \\ \hline \\ \fbox{} \\ \fbox{} \\ 1\ 7\ 5 \\ \hline 0 \end{array}
$$

★ **세로로 계산하기**

나누어지는 수와 나누는 수에
같은 수를 곱해도 몫이 변하지
않으므로 소수점을 각각
한 자리 또는 두 자리씩 옮겨서
계산합니다.

$$
0.2\,\overline{)5.4} \;\Rightarrow\;
2\,\overline{)5\,4}
\begin{array}{r} 2\ 7 \\ \hline \\ 4 \\ \hline 1\ 4 \\ 1\ 4 \\ \hline 0 \end{array}
$$

$$
0.35\,\overline{)1.75} \;\Rightarrow\;
35\,\overline{)175}
\begin{array}{r} 5 \\ \hline \\ 1\ 7\ 5 \\ \hline 0 \end{array}
$$

몫을 쓸 때 옮긴 소수점의 위치에서 소수점을 찍습니다.

■ 계산해 보세요.

$0.3\overline{)7.8}$	$2.1\overline{)8.4}$	$0.8\overline{)18.4}$
$4.5\overline{)67.5}$	$0.37\overline{)6.29}$	$1.02\overline{)6.12}$
$0.06\overline{)1.44}$	$0.24\overline{)1.92}$	$0.19\overline{)5.89}$

빈칸에 알맞은 수를 써넣으세요.

$5.6\text{cm} \div 0.7\text{cm} = \boxed{}$
$\downarrow \qquad \downarrow \qquad \uparrow$
$56\text{mm} \div 7\text{mm} = \boxed{}$

$1.15\text{m} \div 0.05\text{m} = \boxed{}$
$\downarrow \qquad \downarrow \qquad \uparrow$
$115\text{cm} \div 5\text{cm} = \boxed{}$

$4.2\text{cm} \div 0.3\text{cm} = \boxed{}$
$\downarrow \qquad \downarrow \qquad \uparrow$
$42\text{mm} \div \boxed{}\text{mm} = \boxed{}$

$1.68\text{m} \div 0.24\text{m} = \boxed{}$
$\downarrow \qquad \downarrow \qquad \uparrow$
$168\text{cm} \div \boxed{}\text{cm} = \boxed{}$

$22.4\text{cm} \div 5.6\text{cm} = \boxed{}$
$\downarrow \qquad \downarrow \qquad \uparrow$
$\boxed{}\text{mm} \div 56\text{mm} = \boxed{}$

$5.76\text{m} \div 0.18\text{m} = \boxed{}$
$\downarrow \qquad \downarrow \qquad \uparrow$
$\boxed{}\text{cm} \div 18\text{cm} = \boxed{}$

$92.5\text{cm} \div 3.7\text{cm} = \boxed{}$
$\downarrow \qquad \downarrow \qquad \uparrow$
$\boxed{}\text{mm} \div \boxed{}\text{mm} = \boxed{}$

$2.52\text{m} \div 0.42\text{m} = \boxed{}$
$\downarrow \qquad \downarrow \qquad \uparrow$
$\boxed{}\text{cm} \div \boxed{}\text{cm} = \boxed{}$

■ 빈칸에 알맞은 수를 써넣으세요.

철사 **42.7**cm를 **0.7**cm씩 자르려고 합니다. 자른 철사는 몇 조각일까요?

42.7cm = ☐ mm, **0.7**cm = ☐ mm입니다.

철사 **42.7**cm를 **0.7**cm씩 자르는 것은

427mm를 ☐ mm씩 자르는 것과 같으므로

$42.7 \div 0.7 = 427 \div$ ☐ $=$ ☐ , 자른 철사는 ☐ 조각입니다.

리본 한 개를 만드는 데 끈 **0.34**m가 필요합니다. 끈 **7.48**m로 리본을 몇 개 만들 수 있을까요?

7.48m = ☐ cm, **0.34**m = ☐ cm입니다.

끈 **7.48**m에서 **0.34**m씩 자르는 것은

☐ cm를 34cm씩 자르는 것과 같으므로

$7.48 \div 0.34 =$ ☐ $\div 34 =$ ☐ , 리본을 ☐ 개 만들 수 있습니다.

🟦 나눗셈식으로 나타내고 답을 구해 보세요.

주스 2.4L가 있습니다. 주스를 한 컵에 0.4L씩 담는다면 주스를 몇 컵에 담을 수 있을까요?

식 _____ 답 _____ 컵

영재가 1.2km를 달리는 데 8.4분이 걸립니다. 영재가 같은 빠르기로 1km를 달리는 데는 몇 분이 걸릴까요?

식 _____ 답 _____ 분

끈 0.5m로 상자 하나를 묶을 수 있습니다. 끈 13.5m로 똑같은 상자를 몇 개 묶을 수 있을까요?

식 _____ 답 _____ 개

민호는 태어날 때 몸무게가 3.4kg이었습니다. 현재 민호의 몸무게가 44.2kg이라면 현재 몸무게는 태어날 때 몸무게의 몇 배일까요?

식 _____ 답 _____ 배

📘 나눗셈식으로 나타내고 답을 구해 보세요.

우유 1.25L를 하루에 0.25L씩 마신다면 우유를 모두 마시는 데 며칠이 걸릴까요?

식 _____ 답 _____ 일

빵 한 개를 만드는 데 밀가루 0.13kg이 필요합니다. 밀가루 5.98kg으로 빵을 몇 개 만들 수 있을까요?

식 _____ 답 _____ 개

유나는 1분에 0.09km를 걷습니다. 유나가 같은 빠르기로 집에서 1.08km 떨어진 친구 집에 가는 데는 몇 분이 걸릴까요?

식 _____ 답 _____ 분

현아의 키는 1.46m이고, 학교 운동장에 있는 나무의 높이는 8.76m입니다. 나무의 높이는 현아 키의 몇 배일까요?

식 _____ 답 _____ 배

조건에 맞게 소수끼리의 나눗셈식으로 쓰고 계산해 보세요.

- 56÷8을 이용하여 계산할 수 있습니다.
- 나누는 수와 나누어지는 수를 각각 10배 한 식은 56÷8입니다.

식 _____

- 208÷26을 이용하여 계산할 수 있습니다.
- 나누는 수와 나누어지는 수를 각각 100배 한 식은 208÷26입니다.

식 _____

- 462÷6을 이용하여 계산할 수 있습니다.
- 나누는 수와 나누어지는 수를 각각 10배 한 식은 462÷6입니다.

식 _____

- 168÷7을 이용하여 계산할 수 있습니다.
- 나누는 수와 나누어지는 수를 각각 100배 한 식은 168÷7입니다.

식 _____

2주차 자릿수가 다른 나눗셈

56일   자연수로 계산하기

57일   세로로 계산하기

58일   소수의 나눗셈

59일   계산 결과 비교하기

60일   이야기하기

📘 빈칸에 알맞은 수를 써넣으세요.

1.35÷0.5

1.35와 0.5를 100배씩 하여 계산하면

135÷50=□ → 1.35÷0.5=□

0.48÷0.3

0.48과 0.3을 □배씩 하여 계산하면

48÷□=□ → 0.48÷0.3=□

2.73÷2.1

2.73과 2.1을 □배씩 하여 계산하면

□÷210=□ → 2.73÷2.1=□

4.02÷0.6

4.02와 0.6을 100배씩 하여 계산하면

□÷□=□ → 4.02÷0.6=□

6.75÷4.5

6.75와 4.5를 100배씩 하여 계산하면

□÷□=□ → 6.75÷4.5=□

빈칸에 알맞은 수를 써넣으세요.

$0.68 \div 0.4$

0.68과 0.4를 10배씩 하여 계산하면

$6.8 \div 4 = \boxed{}$ ➡ $0.68 \div 0.4 = \boxed{}$

$4.08 \div 1.2$

4.08과 1.2를 $\boxed{}$배씩 하여 계산하면

$40.8 \div \boxed{} = \boxed{}$ ➡ $4.08 \div 1.2 = \boxed{}$

$6.21 \div 2.7$

6.21과 2.7을 $\boxed{}$배씩 하여 계산하면

$\boxed{} \div 27 = \boxed{}$ ➡ $6.21 \div 2.7 = \boxed{}$

$6.65 \div 3.5$

6.65와 3.5를 10배씩 하여 계산하면

$\boxed{} \div \boxed{} = \boxed{}$ ➡ $6.65 \div 3.5 = \boxed{}$

$7.36 \div 1.6$

7.36과 1.6을 10배씩 하여 계산하면

$\boxed{} \div \boxed{} = \boxed{}$ ➡ $7.36 \div 1.6 = \boxed{}$

소수점을 오른쪽으로 두 자리씩 옮겨서 계산해 보세요.

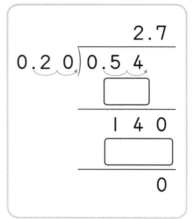

```
              2.7
  0.20)0.54
      ┌────┐
      └────┘
        1 4 0
      ┌────┐
      └────┘
              0
```

```
            ┌──┐
            └──┘
  1.40)3.36
        2 8 0
      ┌────┐
      └────┘
      ┌────┐
      └────┘
              0
```

```
              1.6
  3.70)5.92
      ┌────┐
      └────┘
      ┌────┐
      └────┘
      ┌────┐
      └────┘
              0
```

```
  0.4)2.24
```

```
  2.8)5.88
```

```
  1.5)7.95
```

★ 세로로 계산하기

① 나누는 수와 나누어지는 수를
모두 자연수가 되도록 식을 바꾸
어 계산할 수 있습니다.

```
  1.30)4.42  ➡  130)442
                    3.4   ← 자연수끼리의 나눗셈에서
                    390       몫의 소수점은 자연수 바로
                    520       뒤에서 올려서 찍습니다.
                    520
                      0
```

소수점을 오른쪽으로 한 자리씩 옮겨서 계산해 보세요.

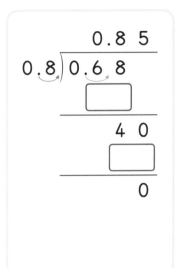

```
          0.8 5
   0.8)0.6 8
      ┌───┐
      └───┘
        4 0
      ┌───┐
      └───┘
          0
```

```
         ┌───┐
         └───┘
   2.1)6.7 2
      ┌───┐
      └───┘
        4 2
      ┌───┐
      └───┘
          0
```

```
          1 5.6
   0.3)4.6 8
      ┌─┐
      └─┘
        1 6
      ┌───┐
      └───┘
      ┌───┐
      └───┘
          0
```

```
   1.6)3.8 4
```

```
   2.4)1.5 6
```

```
   0.5)0.8 7
```

② 나누는 수가 자연수가 되도록 식을 바꾸어 계산할 수 있습니다.
나누는 수와 나누어지는 수를 10배씩 한 몫과 100배씩 한 몫은 같습니다.

```
                      3.4
   1.3)4.4 2  ➡  1 3)4 4.2
                    3 9
                    ───
                    5 2
                    5 2
                    ───
                      0
```

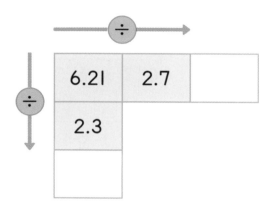

58 소수의 나눗셈

빈칸에 알맞은 수를 써넣으세요.

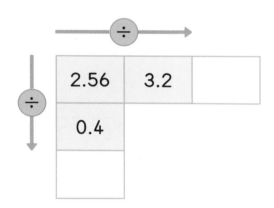

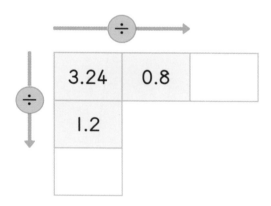

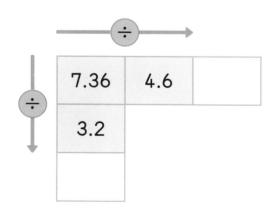

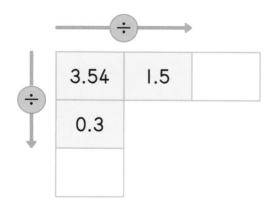

📖 빈칸에 알맞은 수를 써넣으세요.

0.22 →÷0.4→ ☐ →÷1.1→ ☐

1.98 →÷1.2→ ☐ →÷0.5→ ☐

1.23 →÷0.5→ ☐ →÷0.6→ ☐

1.35 →÷2.5→ ☐ →÷0.9→ ☐

9.45 →÷1.4→ ☐ →÷2.7→ ☐

5.58 →÷1.5→ ☐ →÷0.3→ ☐

59일 계산 결과 비교하기

🔷 계산 결과가 같은 식에 ○표 하세요.

| 4.32 ÷ 1.8 | 432 ÷ 18 | 43.2 ÷ 18 | 43.2 ÷ 0.18 |

| 2.58 ÷ 0.6 | 258 ÷ 60 | 258 ÷ 6 | 25.8 ÷ 60 |

| 0.36 ÷ 0.2 | 360 ÷ 20 | 36 ÷ 2 | 3.6 ÷ 2 |

| 6.76 ÷ 2.6 | 67.6 ÷ 260 | 676 ÷ 260 | 676 ÷ 26 |

| 0.13 ÷ 0.5 | 13 ÷ 5 | 130 ÷ 50 | 13 ÷ 50 |

월　일

📘 몫이 가장 큰 것에 ○표 하세요.

$1.12 \div 0.7$　　　$0.56 \div 0.7$　　　$2.38 \div 0.7$

$5.04 \div 2.1$　　　$5.04 \div 0.8$　　　$5.04 \div 1.8$

$4.08 \div 2.4$　　　$9.43 \div 2.3$　　　$5.94 \div 2.7$

$8.25 \div 1.5$　　　$8.28 \div 3.6$　　　$8.32 \div 5.2$

$4.16 \div 2.6$　　　$8.64 \div 3.2$　　　$6.12 \div 1.8$

나눗셈식으로 나타내고 답을 구해 보세요.

직사각형의 가로는 세로의 몇 배일까요?

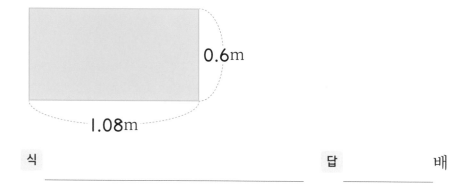

식 _____ 답 _____ 배

집에서 미술관까지의 거리는 집에서 학교까지 거리의 몇 배일까요?

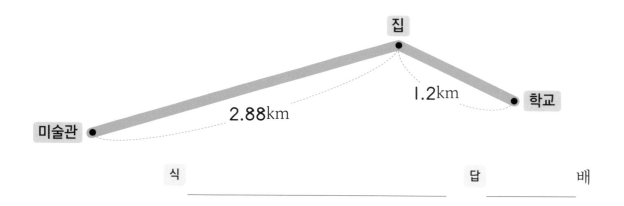

식 _____ 답 _____ 배

나눗셈식으로 나타내고 답을 구해 보세요.

텃밭에서 캔 고구마의 무게는 감자 무게의 몇 배일까요?

고구마	감자
8.25kg	3.3kg

식   답   배

강낭콩 줄기의 길이를 재었습니다. 현재 줄기의 길이는 처음 길이의 몇 배일까요?

처음 줄기의 길이	현재 줄기의 길이
1.6cm	5.44cm

식   답   배

양초에 불을 붙여 한 시간이 지났습니다. 처음 양초의 길이는 현재 길이의 몇 배일까요?

처음 양초의 길이	현재 양초의 길이
9.45cm	0.9cm

식   답   배

나눗셈식으로 나타내고 답을 구해 보세요.

수인이의 키는 1.54m, 진호의 키는 1.4m입니다. 수인이의 키는 진호 키의 몇 배일까요?

식 _____ 답 _____ 배

넓이가 6.38cm²인 직사각형이 있습니다. 이 직사각형의 가로가 2.9cm라면 세로는 몇 cm일까요?

식 _____ 답 _____ cm

휘발유 1.7L로 9.01km를 갈 수 있는 자동차가 있습니다. 이 자동차가 휘발유 1L로는 몇 km를 갈 수 있을까요?

식 _____ 답 _____ km

시유는 한 시간에 4.1km를 걷습니다. 같은 빠르기로 둘레가 3.28km인 호수 한 바퀴를 걷는다면 몇 시간이 걸릴까요?

식 _____ 답 _____ 시간

3주차 자연수에서 나누기

61일 분수로 계산하기

62일 자연수로 계산하기

63일 세로로 계산하기

64일 나누어지는 수와 나누는 수

65일 이야기하기

61 분수로 계산하기

🗂️ 소수의 나눗셈을 분수의 나눗셈으로 바꾸어 계산해 보세요.

$$36 \div 0.4 = \frac{360}{10} \div \frac{4}{10} = \boxed{} \div \boxed{} = \boxed{}$$

$$5 \div 0.25 = \frac{500}{100} \div \frac{25}{100} = \boxed{} \div \boxed{} = \boxed{}$$

$$30 \div 7.5 = \frac{\boxed{}}{10} \div \frac{\boxed{}}{10} = \boxed{} \div \boxed{} = \boxed{}$$

$$24 \div 0.06 = \frac{\boxed{}}{100} \div \frac{\boxed{}}{100} = \boxed{} \div \boxed{} = \boxed{}$$

$$32 \div 1.28 = \frac{\boxed{}}{100} \div \frac{\boxed{}}{100} = \boxed{} \div \boxed{} = \boxed{}$$

> ★ **분수로 계산하기**
>
> 45는 $\frac{45}{1}$와 같으므로 $\frac{45}{1} = \frac{450}{10} = \frac{4500}{100}$입니다.
>
> $45 \div 1.5 = \frac{450}{10} \div \frac{15}{10} = 450 \div 15 = 30$ $45 \div 0.15 = \frac{4500}{100} \div \frac{15}{100} = 4500 \div 15 = 300$

다음과 같이 소수의 나눗셈을 분수의 나눗셈으로 바꾸어 계산해 보세요.

$$48 \div 1.2 = \frac{480}{10} \div \frac{12}{10} = 480 \div 12 = 40$$

$3 \div 0.5$

$54 \div 2.7$

$5 \div 1.25$

$24 \div 0.02$

$51 \div 0.68$

🔹 자연수의 나눗셈을 이용하여 소수의 나눗셈을 계산해 보세요.

$32 \div 0.4 =$ ⬜
⬇ 10배   ⬇ 10배   ⬆
$320 \div 4 =$ ⬜

$3 \div 0.75 =$ ⬜
⬇ 100배   ⬇ 100배   ⬆
$300 \div 75 =$ ⬜

$6 \div 1.2 =$ ⬜
⬇ 10배   ⬇ ⬜배   ⬆
$60 \div 12 =$ ⬜

$50 \div 1.25 =$ ⬜
⬇ 100배   ⬇ ⬜배   ⬆
$5000 \div 125 =$ ⬜

$54 \div 4.5 =$ ⬜
⬇ ⬜배   ⬇ 10배   ⬆
$540 \div 45 =$ ⬜

$13 \div 0.52 =$ ⬜
⬇ ⬜배   ⬇ 100배   ⬆
$1300 \div 52 =$ ⬜

$144 \div 3.6 =$ ⬜
⬇ ⬜배   ⬇ ⬜배   ⬆
$1440 \div 36 =$ ⬜

$30 \div 3.75 =$ ⬜
⬇ ⬜배   ⬇ ⬜배   ⬆
$3000 \div 375 =$ ⬜

계산해 보세요.

$91 \div 0.7 = 910 \div \boxed{} = \boxed{}$

$85 \div 3.4 = \boxed{} \div 34 = \boxed{}$

$9 \div 2.25 = \boxed{} \div 225 = \boxed{}$

$56 \div 0.07 = 5600 \div \boxed{} = \boxed{}$

$20 \div 0.8$

$8 \div 0.25$

$14 \div 3.5$

$60 \div 0.75$

$30 \div 0.3$

$57 \div 1.14$

세로로 계산하기

■ 빈칸에 알맞은 수를 써넣으세요.

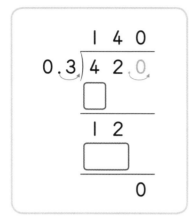

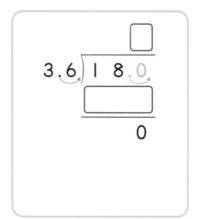

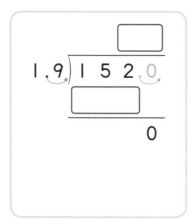

★ 세로로 계산하기

나누어지는 수와 나누는 수에 같은 수를 곱해도 몫이 변하지 않으므로
나누는 수가 자연수가 되도록 소수점을 오른쪽으로 한 칸 또는 두 칸 옮겨 계산합니다.

$$1.3\overline{)78.0} \Rightarrow 13\overline{)780} \quad \frac{60}{780} \\ \underline{78} \\ 0$$

$$0.96\overline{)24.00} \Rightarrow 96\overline{)2400} \quad \frac{25}{2400} \\ \underline{192} \\ 480 \\ \underline{480} \\ 0$$

계산을 하세요.

$0.6 \overline{)15}$

$0.3 \overline{)27}$

$1.2 \overline{)78}$

$7.5 \overline{)60}$

$6.5 \overline{)26}$

$1.8 \overline{)9}$

$0.04 \overline{)5}$

$0.42 \overline{)21}$

$1.24 \overline{)93}$

나누어지는 수와 나누는 수

빈칸에 알맞은 수를 써넣으세요.

$36 \div 4 =$ ☐

$36 \div 0.4 =$ ☐

$36 \div 0.04 =$ ☐

$0.21 \div 0.3 =$ ☐

$2.1 \div 0.3 =$ ☐

$21 \div 0.3 =$ ☐

$50 \div 5 =$ ☐

$50 \div 0.5 =$ ☐

$50 \div 0.05 =$ ☐

$1.82 \div 0.07 =$ ☐

$18.2 \div 0.07 =$ ☐

$182 \div 0.07 =$ ☐

$121 \div 11 =$ ☐

$121 \div 1.1 =$ ☐

$121 \div 0.11 =$ ☐

$0.96 \div 0.24 =$ ☐

$9.6 \div 0.24 =$ ☐

$96 \div 0.24 =$ ☐

📖 몫이 가장 큰 것에 ○표 하세요.

$56 \div 0.8$	$56 \div 0.08$	$56 \div 8$

$120 \div 0.5$	$12 \div 0.5$	$1.2 \div 0.5$

$80 \div 0.4$	$80 \div 4$	$80 \div 0.04$

$28.4 \div 0.02$	$2.84 \div 0.02$	$284 \div 0.02$

$195 \div 15$	$195 \div 0.15$	$195 \div 1.5$

🔹 나눗셈식으로 나타내고 답을 구해 보세요.

길이가 78km인 도로를 하루에 1.2km씩 정비한다고 합니다. 도로를 모두 정비하는 데 며칠이 걸릴까요?

식 _____ 답 _____ 일

화분 하나에 흙을 6.5kg씩 담으려고 합니다. 흙 52kg으로 화분을 몇 개 채울 수 있을까요?

식 _____ 답 _____ 개

주스가 6L 있습니다. 주스를 한 컵에 0.15L씩 따른다면 컵은 몇 개 필요할까요?

식 _____ 답 _____ 개

민서는 하루에 물을 1.25L씩 마십니다. 물 15L를 마시려면 며칠이 걸릴까요?

식 _____ 답 _____ 일

📘 나눗셈식으로 나타내고 답을 구해 보세요.

트럭이 일정한 빠르기로 1시간 30분 동안 120km를 갔습니다. 이 트럭이 1시간 간 동안 거리는 몇 km일까요?

1시간 30분은 1.5시간입니다.

식 _____   답 _____ km

연우는 15분 동안 1km를 걷습니다. 같은 빠르기로 1시간 동안 걷는다면 몇 km를 걸을 수 있을까요?

식 _____   답 _____ km

민규가 농장에서 3시간 30분 동안 사과 49kg을 땄습니다. 1시간 동안 딴 사과는 몇 kg일까요?

식 _____   답 _____ kg

준서가 45분 동안 종이학 12개를 접었습니다. 같은 빠르기로 종이학을 접는다면 1시간 동안 접는 종이학은 몇 개일까요?

식 _____   답 _____ 개

■ 물음에 답하세요.

포도 주스는 1.5L에 2400원, 오렌지 주스는 0.8L에 1200원입니다. 포도 주스와 오렌지 주스 중 어느 것이 더 저렴한지 물음에 답하세요.

포도 주스 1L는 얼마인가요?

(   )

오렌지 주스 1L는 얼마인가요?

(   )

포도 주스와 오렌지 주스 중 어느 것이 더 저렴한가요?

(   )

0.25kg짜리 콘 아이스크림은 2000원, 0.4kg짜리 컵 아이스크림은 3000원입니다. 콘과 컵 아이스크림 중 어느 것이 더 저렴한지 물음에 답하세요.

콘 아이스크림 1kg은 얼마인가요?

(   )

컵 아이스크림 1kg은 얼마인가요?

(   )

콘과 컵 아이스크림 중 어느 것이 더 저렴한가요?

(   )

4주차 소수의 나눗셈

▶ **66**일 소수점의 위치 (1)

▶ **67**일 소수점의 위치 (2)

▶ **68**일 큰 수, 작은 수

▶ **69**일 바르게 계산하기

▶ **70**일 여러 가지 계산 방법

🗂 계산을 하세요.

$368 \div 23 =$ ☐

$36.8 \div 2.3 =$ ☐

$3.68 \div 0.23 =$ ☐

$6 \div 0.75 =$ ☐

$60 \div 7.5 =$ ☐

$600 \div 75 =$ ☐

$360 \div 0.3 =$ ☐

$36 \div 0.3 =$ ☐

$3.6 \div 0.3 =$ ☐

$0.72 \div 1.2 =$ ☐

$7.2 \div 1.2 =$ ☐

$72 \div 1.2 =$ ☐

$56 \div 14 =$ ☐

$56 \div 1.4 =$ ☐

$56 \div 0.14 =$ ☐

$1.92 \div 0.08 =$ ☐

$1.92 \div 0.8 =$ ☐

$1.92 \div 8 =$ ☐

📘 관계 있는 것끼리 이어 보세요.

$1.8 \div 0.3$ •	• $180 \div 3$ •	• 0.6
$0.18 \div 0.3$ •	• $18 \div 3$ •	• 6
$18 \div 0.3$ •	• $1.8 \div 3$ •	• 60

$3.12 \div 0.24$ •	• $3120 \div 24$ •	• 1.3
$312 \div 2.4$ •	• $312 \div 240$ •	• 13
$3.12 \div 2.4$ •	• $31.2 \div 2.4$ •	• 130

$6 \div 1.2$ •	• $600 \div 12$ •	• 500
$6 \div 0.12$ •	• $60 \div 12$ •	• 50
$60 \div 0.12$ •	• $6000 \div 12$ •	• 5

소수점의 위치 (2)

📖 계산을 하세요.

$1.8 \div 0.3 =$ ☐

$0.18 \div 0.3 =$ ☐

$0.18 \div 0.03 =$ ☐

$4.6 \div 2.3 =$ ☐

$46 \div 2.3 =$ ☐

$46 \div 23 =$ ☐

$30 \div 0.05 =$ ☐

$3 \div 0.05 =$ ☐

$3 \div 0.5 =$ ☐

$7.5 \div 2.5 =$ ☐

$75 \div 2.5 =$ ☐

$75 \div 0.25 =$ ☐

$90 \div 3 =$ ☐

$90 \div 0.3 =$ ☐

$900 \div 0.3 =$ ☐

$98 \div 0.14 =$ ☐

$98 \div 1.4 =$ ☐

$9.8 \div 1.4 =$ ☐

■ 계산 결과를 비교하여 ◯ 안에 >, =, <를 알맞게 써넣으세요.

$8 \div 0.4$ ◯ $8 \div 0.04$

$7.95 \div 0.53$ ◯ $7.95 \div 5.3$

$4.8 \div 0.6$ ◯ $0.48 \div 0.6$

$2.52 \div 4.2$ ◯ $25.2 \div 4.2$

$90 \div 1.5$ ◯ $9 \div 0.15$

$35 \div 0.07$ ◯ $3.5 \div 0.7$

$2.7 \div 0.3$ ◯ $27 \div 0.03$

$3.48 \div 0.12$ ◯ $348 \div 1.2$

$22.4 \div 3.2$ ◯ $2.24 \div 0.32$

$2 \div 0.5$ ◯ $20 \div 0.05$

큰 수를 작은 수로 나눈 몫을 구해 보세요.

3.4	6.8

(   )

17.5	2.5

(   )

4.27	0.7

(   )

1.28	5.12

(   )

0.6	1.44

(   )

0.25	8

(   )

22	4.4

(   )

4.68	2.6

(   )

📘 수 카드를 빈칸에 한 번씩 써넣어 계산 결과가 가장 큰 식을 만들고, 계산해 보세요.

| 3 | 6 |

$2.52 \div \boxed{}.\boxed{} = $ _____

| 4 | 2 |

$16.8 \div \boxed{}.\boxed{} = $ _____

| 5 | 1 |

$7.65 \div \boxed{}.\boxed{} = $ _____

| 4 | 5 |

$27 \div \boxed{}.\boxed{} = $ _____

| 1 | 8 |

$\boxed{}.\boxed{} \div 0.9 = $ _____

| 8 | 4 |

$\boxed{}.\boxed{} \div 1.2 = $ _____

| 7 | 5 |

$\boxed{}\,\boxed{} \div 0.3 = $ _____

| 4 | 6 |

$\boxed{}\,\boxed{} \div 0.02 = $ _____

69 바르게 계산하기

🟦 나눗셈식을 잘못 계산하였습니다. 바르게 계산해 보세요.

$$19.2 \div 0.8 = \frac{192}{100} \div \frac{80}{100} = 192 \div 80 = 2.4$$

$19.2 \div 0.8 =$

$$720 \div 1.8 = \frac{72}{10} \div \frac{18}{10} = 72 \div 18 = 4$$

$720 \div 1.8 =$

$$51 \div 0.03 = \frac{510}{100} \div \frac{3}{100} = 510 \div 3 = 170$$

$51 \div 0.03 =$

$$4.65 \div 3.1 = \frac{465}{100} \div \frac{31}{10} = 465 \div 31 = 15$$

$4.65 \div 3.1 =$

🔷 나눗셈식을 잘못 계산하였습니다. 바르게 계산해 보세요.

```
          2.6
0.3 4)8.8 4
        6 8
        2 0 4
        2 0 4
              0
```

➡️

```
0.3 4)8.8 4
```

```
          0.6 7
0.7)4.6 9
      4 2
        4 9
        4 9
            0
```

➡️

```
0.7)4.6 9
```

```
          4.2
0.5)2 1
      2 0
        1 0
        1 0
            0
```

➡️

```
0.5)2 1
```

70 일 여러 가지 계산 방법

📘 여러 가지 방법으로 계산해 보세요.

$$9.1 \div 0.7$$

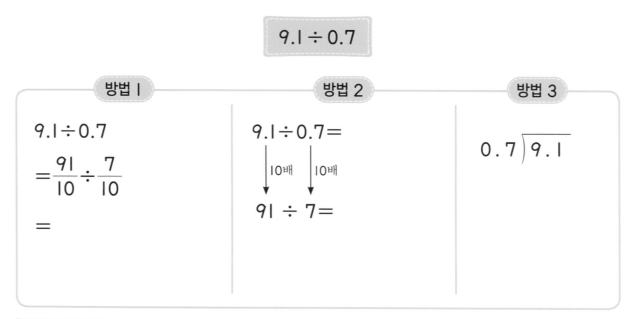

방법 1

$9.1 \div 0.7$

$= \dfrac{91}{10} \div \dfrac{7}{10}$

$=$

방법 2

$9.1 \div 0.7 =$

↓10배 ↓10배

$91 \div 7 =$

방법 3

$0.7 \overline{)9.1}$

① 분수의 나눗셈으로 바꾸어 계산하기
② 나누는 수와 나누어지는 수에 같은 수를 곱하여 계산하기
③ 세로로 계산하기

$$36 \div 7.2$$

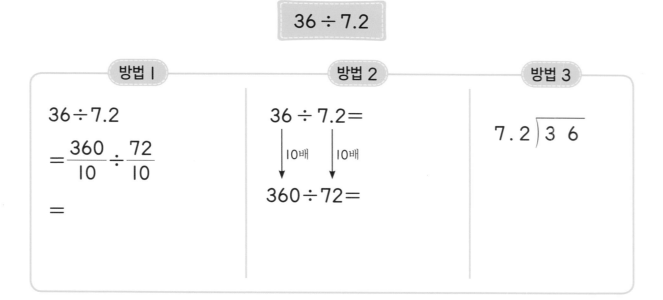

방법 1

$36 \div 7.2$

$= \dfrac{360}{10} \div \dfrac{72}{10}$

$=$

방법 2

$36 \div 7.2 =$

↓10배 ↓10배

$360 \div 72 =$

방법 3

$7.2 \overline{)3 \ 6}$

여러 가지 방법으로 계산해 보세요.

$3.24 \div 0.12$

방법 1	방법 2	방법 3

$3 \div 0.25$

방법 1	방법 2	방법 3

📘 물음에 답하세요.

병에 소금을 0.3kg씩 담으려고 합니다. 소금이 7.2kg 있다면 병 몇 개에 나누어 담을 수 있는지 두 가지 방법으로 구해 보세요.

방법 1	방법 2

답 _____ 개   답 _____ 개

은서네 집에 쌀이 27kg, 보리가 4.5kg 있습니다. 쌀의 무게는 보리 무게의 몇 배인지 두 가지 방법으로 구해 보세요.

방법 1	방법 2

답 _____ 배   답 _____ 배

5주차 나누어떨어지지 않는 몫

71일   몫의 반올림 (1)

72일   몫의 반올림 (2)

73일   이야기하기

74일   나누어 주고 남는 양 (1)

75일   나누어 주고 남는 양 (2)

몫을 소수 셋째 자리까지 계산하였습니다. 빈칸에 알맞은 수를 써넣으세요.

```
         1. 4 2 8
      7 ) 1 0
          7
          3 0
          2 8
            2 0
            1 4
              6 0
              5 6
                4
```

10÷7의 몫을

반올림하여 일의 자리까지 나타내면 ☐ 입니다.

반올림하여 소수 첫째 자리까지 나타내면 ☐ 입니다.

반올림하여 소수 둘째 자리까지 나타내면 ☐ 입니다.

```
           3. 8 3 3
    0. 6 ) 2. 3
           1 8
           5 0
           4 8
             2 0
             1 8
               2 0
               1 8
                 2
```

2.3÷0.6의 몫을

반올림하여 일의 자리까지 나타내면 ☐ 입니다.

반올림하여 소수 첫째 자리까지 나타내면 ☐ 입니다.

반올림하여 소수 둘째 자리까지 나타내면 ☐ 입니다.

몫을 소수 셋째 자리까지 계산하고, 빈칸에 알맞은 수를 써넣으세요.

$11 \overline{)7}$

7÷11의 몫을

반올림하여 일의 자리까지 나타내면 ☐ 입니다.

반올림하여 소수 첫째 자리까지 나타내면 ☐ 입니다.

반올림하여 소수 둘째 자리까지 나타내면 ☐ 입니다.

$3 \overline{)4.6}$

4.6÷3의 몫을

반올림하여 일의 자리까지 나타내면 ☐ 입니다.

반올림하여 소수 첫째 자리까지 나타내면 ☐ 입니다.

반올림하여 소수 둘째 자리까지 나타내면 ☐ 입니다.

몫의 반올림 (2)

🔖 물음에 답하세요.

몫을 반올림하여 일의 자리까지 나타내어 보세요.

$1 \div 3$ ➡ ☐ $3.4 \div 0.7$ ➡ ☐ $55 \div 9$ ➡ ☐

몫을 반올림하여 소수 첫째 자리까지 나타내어 보세요.

$25 \div 7$ ➡ ☐ $1.6 \div 3$ ➡ ☐ $10 \div 13$ ➡ ☐

몫을 반올림하여 소수 둘째 자리까지 나타내어 보세요.

$16 \div 9$ ➡ ☐ $40 \div 0.6$ ➡ ☐ $5.2 \div 3$ ➡ ☐

계산 결과를 비교하여 ○ 안에 >, =, <를 알맞게 써넣으세요.

57÷7의 몫을 반올림하여
일의 자리까지 나타낸 수

57÷7

2.5÷0.3의 몫을 반올림하여
소수 첫째 자리까지 나타낸 수

2.5÷0.3

1.3÷6의 몫을 반올림하여
소수 둘째 자리까지 나타낸 수

1.3÷6

6.8÷9의 몫을 반올림하여
일의 자리까지 나타낸 수

6.8÷9의 몫을 반올림하여
소수 첫째 자리까지 나타낸 수

5÷11의 몫을 반올림하여
소수 첫째 자리까지 나타낸 수

5÷11의 몫을 반올림하여
소수 둘째 자리까지 나타낸 수

◼ 나눗셈식으로 나타내고 답을 구해 보세요.

연필의 길이는 17cm, 크레파스는 6cm입니다. 연필의 길이는 크레파스 길이의 몇 배인지 반올림하여 일의 자리까지 나타내어 보세요.

식 _____   답 _____ 배

우유 3.5L를 9명이 똑같이 나누어 마시려고 합니다. 한 사람이 마실 수 있는 우유는 몇 L인지 반올림하여 소수 첫째 자리까지 나타내어 보세요.

식 _____   답 _____ L

성재는 일정한 빠르기로 2시간 동안 7km를 걸었습니다. 성재가 1km를 걷는 데는 몇 시간이 걸렸는지 반올림하여 소수 첫째 자리까지 나타내어 보세요.

식 _____   답 _____ 시간

1m²의 벽에 페인트를 칠하는 데 0.3L의 페인트가 필요합니다. 2L의 페인트로 칠할 수 있는 벽은 몇 m²인지 반올림하여 소수 둘째 자리까지 나타내어 보세요.

식 _____   답 _____ m²

나눗셈식으로 나타내고 답을 구해 보세요.

둘레가 16cm인 정삼각형의 한 변의 길이는 몇 cm인지 반올림하여 일의 자리까지 나타내어 보세요.

식 _____ 답 _____ cm

둘레가 26.4cm인 정칠각형의 한 변의 길이는 몇 cm인지 반올림하여 소수 첫째 자리까지 나타내어 보세요.

식 _____ 답 _____ cm

지아는 일주일 동안 물을 8.9L 마셨습니다. 지아는 하루 평균 몇 L의 물을 마셨는지 반올림하여 소수 첫째 자리까지 나타내어 보세요.

식 _____ 답 _____ L

민우는 지난 1년 동안 텃밭에서 방울토마토 50kg을 땄습니다. 민우는 한 달 평균 몇 kg의 방울토마토를 땄는지 반올림하여 소수 둘째 자리까지 나타내어 보세요.

식 _____ 답 _____ kg

나누어 주고 남는 양 (1)

■ 빈칸에 알맞은 수를 써넣으세요.

3	3	3	3
13.4m

끈 13.4m를 한 사람에 3m씩 나누어 주려고 합니다.

$13.4 - 3 - 3 - \boxed{} - \boxed{} = \boxed{}$ 이므로

끈을 $\boxed{}$ 명에게 나누어 주고, 끈은 $\boxed{}$ m가 남습니다.

5	5	5	5	5
27.5kg

밀가루 27.5kg을 한 봉지에 5kg씩 나누어 담으려고 합니다.

$27.5 - \boxed{} - \boxed{} - \boxed{} - \boxed{} - \boxed{} = \boxed{}$ 이므로

봉지 $\boxed{}$ 개에 나누어 담고, 밀가루는 $\boxed{}$ kg이 남습니다.

★ 덜어내기와 나누어 주기

주스 9.2L를 한 사람에 2L씩 나누어 줄 때
9.2L에서 2L씩 계속 덜어내는 방법으로 나누어 줄 수 있는 사람 수와 남는 주스 양을 구할 수 있습니다.

$$9.2 - 2 - 2 - 2 - 2 = 1.2$$

2를 4번 뺄 수 있으므로 4명에게 나누어 주고, 남는 주스 양은 1.2L입니다.

📖 물음에 답하세요.

사과 8.6kg을 한 상자에 2kg씩 담으려고 합니다. 몇 상자에 담을 수 있고, 남는 사과는 몇 kg일까요?

담을 수 있는 상자 수: (   )상자,   남는 사과의 양 (   )kg

페인트 16.8L를 한 사람에 4L씩 나누어 주려고 합니다. 몇 명에게 나누어 줄 수 있고, 남는 페인트는 몇 L일까요?

나누어 줄 수 있는 사람 수: (   )명,   남는 페인트의 양 (   )L

재활용 종이 17.4kg을 3kg씩 묶으려고 합니다. 몇 묶음으로 묶을 수 있고, 남는 재활용 종이는 몇 kg일까요?

묶음 수: (   )묶음,   남는 재활용 종이의 양 (   )kg

리본 하나를 만드는 데 끈 3m가 필요합니다. 끈 10m로 리본을 몇 개 만들 수 있고, 남는 끈은 몇 m일까요?

만들 수 있는 리본 수: (   )개,   남는 끈의 길이 (   )m

나누어 주고 남는 양 (2)

📘 빈칸에 알맞은 수를 써넣으세요.

$$5\overline{)18.4}$$
$$15$$

고구마 18.4kg을 한 상자에 5kg씩 담으면

☐ 상자에 담을 수 있고, 고구마는 ☐ kg이 남습니다.

상자 수는 소수가 아닌 자연수이므로
몫을 자연수까지만 구합니다.

$$2\overline{)17.5}$$
$$16$$

끈 17.5m를 한 사람에 2m씩 나누어 주면

☐ 명에게 나누어 줄 수 있고, 끈은 ☐ m가 남습니다.

$$3\overline{)26.2}$$
$$24$$

물 26.2L를 한 통에 3L씩 나누어 담으면

☐ 컵에 담을 수 있고, 물은 ☐ L가 남습니다.

⭐ **세로셈과 나누어 주기**

주스 9.2L를 2L씩 나누어 줄 때 나눗셈을 세로로 계산하여
몫을 자연수까지만 구하면 나누어 줄 수 있는 사람 수와 남는 주스 양을 구할 수 있습니다.

한 사람이 가지는 주스 양 → $2\overline{)9.2}$ ← 나누어 줄 수 있는 사람 수 4
나누어 주는 주스 양 → 8
1.2 ← 남는 주스 양

자연수까지 구한 몫이 4이고, 나머지가 1.2이므로
4명에게 나누어 주고, 남는 주스 양은 1.2L입니다.

📘 물음에 답하세요.

쌀 **21.7kg**을 한 봉지에 **3kg**씩 담으려고 합니다. 몇 봉지에 담을 수 있고, 남는 쌀은 몇 kg일까요?

담을 수 있는 봉지 수: (   )봉지,   남는 쌀의 양 (   )kg

찰흙 **25.3kg**을 한 사람에 **2kg**씩 나누어 주려고 합니다. 몇 명에게 나누어 줄 수 있고, 남는 찰흙은 몇 kg일까요?

나누어 줄 수 있는 사람 수: (   )명,   남는 찰흙의 양 (   )kg

농장에서 수확한 귤 **43.6kg**을 한 상자에 **5kg**씩 담으려고 합니다. 몇 상자에 담을 수 있고, 남는 귤은 몇 kg일까요?

담을 수 있는 상자 수: (   )상자,   남는 귤의 양 (   )kg

상자 하나를 묶는 데 끈이 **4m**가 필요합니다. 끈 **27.5m**로 똑같은 크기의 상자를 몇 개까지 묶을 수 있고, 남는 끈은 몇 m일까요?

묶을 수 있는 상자 수: (   )상자,   남는 끈의 길이 (   )m

■ 물음에 답하세요.

소금 14.5kg을 한 봉지에 3kg씩 담으려고 합니다. 담을 수 있는 봉지 수와 남는 소금의 양을 두 가지 방법으로 구해 보세요.

방법 1

담을 수 있는 봉지 수: ☐ 봉지

남는 소금의 양: ☐ kg

방법 2

담을 수 있는 봉지 수: ☐ 봉지

남는 소금의 양: ☐ kg

귤 40.3kg을 한 사람에 7kg씩 나누어 주려고 합니다. 나누어 줄 수 있는 사람 수와 남는 귤의 양을 두 가지 방법으로 구해 보세요.

방법 1

나누어 줄 수 있는 사람 수: ☐ 명

남는 귤의 양: ☐ kg

방법 2

나누어 줄 수 있는 사람 수: ☐ 명

남는 귤의 양: ☐ kg

정답

8·9쪽

51 분수로 계산하기

📗 소수의 나눗셈을 분수의 나눗셈으로 바꾸어 계산해 보세요.

$2.4 \div 0.3 = \dfrac{24}{10} \div \dfrac{3}{10} = \boxed{24} \div \boxed{3} = \boxed{8}$

$3.12 \div 0.24 = \dfrac{312}{100} \div \dfrac{24}{100} = \boxed{312} \div \boxed{24} = \boxed{13}$

$7.5 \div 0.5 = \dfrac{\boxed{75}}{10} \div \dfrac{\boxed{5}}{10} = \boxed{75} \div \boxed{5} = \boxed{15}$

$5.25 \div 1.05 = \dfrac{\boxed{525}}{100} \div \dfrac{\boxed{105}}{100} = \boxed{525} \div \boxed{105} = \boxed{5}$

$51.2 \div 0.8 = \dfrac{\boxed{512}}{10} \div \dfrac{\boxed{8}}{10} = \boxed{512} \div \boxed{8} = \boxed{64}$

💬 **분수로 계산하기**

분모가 같은 나눗셈은 분자끼리 나누면 되므로 소수를 분모가 10, 100인 분수로 나타내어 분자끼리 나눕니다.

$1.2 \div 0.2 = \dfrac{12}{10} \div \dfrac{2}{10} = 12 \div 2 = 6$ $1.56 \div 0.13 = \dfrac{156}{100} \div \dfrac{13}{100} = 156 \div 13 = 12$

📗 다음과 같이 소수의 나눗셈을 분수의 나눗셈으로 바꾸어 계산해 보세요.

$4.9 \div 0.7 = \dfrac{49}{10} \div \dfrac{7}{10} = 49 \div 7 = 7$

$5.4 \div 0.6 = \dfrac{54}{10} \div \dfrac{6}{10} = 54 \div 6 = 9$

$9.8 \div 1.4 = \dfrac{98}{10} \div \dfrac{14}{10} = 98 \div 14 = 7$

$93.6 \div 7.2 = \dfrac{936}{10} \div \dfrac{72}{10} = 936 \div 72 = 13$

$1.17 \div 0.13 = \dfrac{117}{100} \div \dfrac{13}{100} = 117 \div 13 = 9$

$7.56 \div 0.54 = \dfrac{756}{100} \div \dfrac{54}{100} = 756 \div 54 = 14$

10·11쪽

52 자연수로 계산하기

📗 자연수의 나눗셈을 이용하여 소수의 나눗셈을 계산해 보세요.

$8.5 \div 0.5 = \boxed{17}$
$85 \div 5 = \boxed{17}$

나누어지는 수와 나누는 수에 같은 수를 곱하면 몫은 변하지 않습니다.

$4.96 \div 0.08 = \boxed{62}$
$496 \div 8 = \boxed{62}$

$4.8 \div 1.6 = \boxed{3}$
$48 \div 16 = \boxed{3}$

$7.48 \div 0.22 = \boxed{34}$
$748 \div 22 = \boxed{34}$

$29.4 \div 4.2 = \boxed{7}$
$294 \div 42 = \boxed{7}$

$3.72 \div 0.62 = \boxed{6}$
$372 \div 62 = \boxed{6}$

$43.4 \div 0.7 = \boxed{62}$
$434 \div 7 = \boxed{62}$

$5.28 \div 1.32 = \boxed{4}$
$528 \div 132 = \boxed{4}$

📗 계산해 보세요.

$1.8 \div 0.3 = 18 \div \boxed{3} = \boxed{6}$

$3.92 \div 0.14 = \boxed{392} \div 14 = \boxed{28}$

$12.8 \div 0.8 = \boxed{128} \div 8 = \boxed{16}$

$2.24 \div 0.28 = 224 \div \boxed{28} = \boxed{8}$

$6.4 \div 0.4 = 16$ $8.32 \div 0.64 = 13$

$20.7 \div 0.9 = 23$ $0.72 \div 0.12 = 6$

$11.5 \div 2.3 = 5$ $5.18 \div 0.37 = 14$

53 세로로 계산하기

월 일

■ 빈칸에 알맞은 수를 써넣으세요.

```
        8
0.9)7.2
    7 2
      0
```

```
    1 3
0.5)6.5
    5
    1 5
    1 5
      0
```

```
      1 7
1.2)2 0.4
    1 2
      8 4
      8 4
        0
```

```
        3
0.6 2)1.8 6
      1 8 6
          0
```

```
      1 2
0.5 6)6.7 2
      5 6
      1 1 2
      1 1 2
          0
```

```
      2 5
0.3 5)8.7 5
      7 0
      1 7 5
      1 7 5
          0
```

★ 세로로 계산하기

나누어지는 수와 나누는 수에
같은 수를 곱해도 몫이 변하지
않으므로 소수점을 각각
한 자리 또는 두 자리씩 옮겨서
계산합니다.

```
        2 7
0.2)5.4 → 2)5 4
          4
          1 4
          1 4
            0
```

```
          5
0.3 5)1.7 5 → 3 5)1 7 5
              1 7 5
                  0
```

몫을 쓸 때 옮긴 소수점의 위치에서 소수점을 찍습니다.

■ 계산해 보세요.

```
      2 6
0.3)7.8
    6
    1 8
    1 8
      0
```

```
        4
2.1)8.4
    8 4
      0
```

```
      2 3
0.8)1 8.4
    1 6
    2 4
    2 4
      0
```

```
        1 5
4.5)6 7.5
    4 5
    2 2 5
    2 2 5
        0
```

```
        1 7
0.3 7)6.2 9
      3 7
      2 5 9
      2 5 9
          0
```

```
          6
1.0 2)6.1 2
      6 1 2
          0
```

```
        2 4
0.0 6)1.4 4
      1 2
      2 4
      2 4
        0
```

```
        8
0.2 4)1.9 2
      1 9 2
          0
```

```
        3 1
0.1 9)5.8 9
      5 7
      1 9
      1 9
        0
```

---

 54 mm, cm, m

월 일

■ 빈칸에 알맞은 수를 써넣으세요.

5.6cm ÷ 0.7cm = 8
↓　　↓　　　↑
56mm ÷ 7mm = 8

1.15m ÷ 0.05m = 23
↓　　↓　　　↑
115cm ÷ 5cm = 23

4.2cm ÷ 0.3cm = 14
↓　　↓　　　↑
42mm ÷ 3mm = 14

1.68m ÷ 0.24m = 7
↓　　↓　　　↑
168cm ÷ 24cm = 7

22.4cm ÷ 5.6cm = 4
↓　　　↓　　　↑
224mm ÷ 56mm = 4

5.76m ÷ 0.18m = 32
↓　　　↓　　　↑
576cm ÷ 18cm = 32

92.5cm ÷ 3.7cm = 25
↓　　　↓　　　↑
925mm ÷ 37mm = 25

2.52m ÷ 0.42m = 6
↓　　　↓　　　↑
252cm ÷ 42cm = 6

■ 빈칸에 알맞은 수를 써넣으세요.

철사 42.7cm를 0.7cm씩 자르려고 합니다. 자른 철사는 몇 조각일까요?

42.7cm= 427 mm, 0.7cm= 7 mm입니다.

철사 42.7cm를 0.7cm씩 자르는 것은

427mm를 7 mm씩 자르는 것과 같으므로

42.7÷0.7=427÷ 7 = 61 , 자른 철사는 61 조각입니다.

리본 한 개를 만드는 데 끈 0.34m가 필요합니다. 끈 7.48m로 리본을 몇 개 만들 수 있을까요?

7.48m= 748 cm, 0.34m= 34 cm입니다.

끈 7.48m에서 0.34m씩 자르는 것은

748 cm를 34cm씩 자르는 것과 같으므로

7.48÷0.34= 748 ÷34= 22 , 리본을 22 개 만들 수 있습니다.

55 이야기하기

월 일

■ 나눗셈식으로 나타내고 답을 구해 보세요.

주스 2.4L가 있습니다. 주스를 한 컵에 0.4L씩 담는다면 주스를 몇 컵에 담을 수 있을까요?

식 2.4÷0.4=6   답 6 컵

영재가 1.2km를 달리는 데 8.4분이 걸립니다. 영재가 같은 빠르기로 1km를 달리는 데는 몇 분이 걸릴까요?

식 8.4÷1.2=7   답 7 분

끈 0.5m로 상자 하나를 묶을 수 있습니다. 끈 13.5m로 똑같은 상자를 몇 개 묶을 수 있을까요?

식 13.5÷0.5=27   답 27 개

민호는 태어날 때 몸무게가 3.4kg이었습니다. 현재 민호의 몸무게가 44.2kg이라면 현재 몸무게는 태어날 때 몸무게의 몇 배일까요?

식 44.2÷3.4=13   답 13 배

■ 나눗셈식으로 나타내고 답을 구해 보세요.

우유 1.25L를 하루에 0.25L씩 마신다면 우유를 모두 마시는 데 며칠이 걸릴까요?

식 1.25÷0.25=5   답 5 일

빵 한 개를 만드는 데 밀가루 0.13kg이 필요합니다. 밀가루 5.98kg으로 빵을 몇 개 만들 수 있을까요?

식 5.98÷0.13=46   답 46 개

유나는 1분에 0.09km를 걷습니다. 유나가 같은 빠르기로 집에서 1.08km 떨어진 친구 집에 가는 데는 몇 분이 걸릴까요?

식 1.08÷0.09=12   답 12 분

현아의 키는 1.46m이고, 학교 운동장에 있는 나무의 높이는 8.76m입니다. 나무의 높이는 현아 키의 몇 배일까요?

식 8.76÷1.46=6   답 6 배

■ 조건에 맞게 소수끼리의 나눗셈식으로 쓰고 계산해 보세요.

• 56÷8을 이용하여 계산할 수 있습니다.
• 나누는 수와 나누어지는 수를 각각 10배 한 식은 56÷8입니다.

식 5.6÷0.8=7

• 208÷26을 이용하여 계산할 수 있습니다.
• 나누는 수와 나누어지는 수를 각각 100배 한 식은 208÷26입니다.

식 2.08÷0.26=8

• 462÷6을 이용하여 계산할 수 있습니다.
• 나누는 수와 나누어지는 수를 각각 10배 한 식은 462÷6입니다.

식 46.2÷0.6=77

• 168÷7을 이용하여 계산할 수 있습니다.
• 나누는 수와 나누어지는 수를 각각 100배 한 식은 168÷7입니다.

식 1.68÷0.07=24

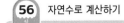

56 자연수로 계산하기

빈칸에 알맞은 수를 써넣으세요.

1.35÷0.5
1.35와 0.5를 100배씩 하여 계산하면
135÷50=[2.7] → 1.35÷0.5=[2.7]

0.48÷0.3
0.48과 0.3을 [100]배씩 하여 계산하면
48÷[30]=[1.6] → 0.48÷0.3=[1.6]

2.73÷2.1
2.73과 2.1을 [100]배씩 하여 계산하면
[273]÷210=[1.3] → 2.73÷2.1=[1.3]

4.02÷0.6
4.02와 0.6을 100배씩 하여 계산하면
[402]÷[60]=[6.7] → 4.02÷0.6=[6.7]

6.75÷4.5
6.75와 4.5를 100배씩 하여 계산하면
[675]÷[450]=[1.5] → 6.75÷4.5=[1.5]

빈칸에 알맞은 수를 써넣으세요.

0.68÷0.4
0.68과 0.4를 10배씩 하여 계산하면
6.8÷4=[1.7] → 0.68÷0.4=[1.7]

4.08÷1.2
4.08과 1.2를 [10]배씩 하여 계산하면
40.8÷[12]=[3.4] → 4.08÷1.2=[3.4]

6.21÷2.7
6.21과 2.7을 [10]배씩 하여 계산하면
[62.1]÷27=[2.3] → 6.21÷2.7=[2.3]

6.65÷3.5
6.65와 3.5를 10배씩 하여 계산하면
[66.5]÷[35]=[1.9] → 6.65÷3.5=[1.9]

7.36÷1.6
7.36과 1.6을 10배씩 하여 계산하면
[73.6]÷[16]=[4.6] → 7.36÷1.6=[4.6]

---

57 세로로 계산하기

소수점을 오른쪽으로 두 자리씩 옮겨서 계산해 보세요.

```
        2.7               [2.4]             1.6
0.20)0.54        1.40)3.36         3.70)5.92
    [40]              280               [370]
    140              [560]             [2220]
   [140]              560              [2220]
      0                 0                  0
```

```
       5.6               2.1               5.3
0.4○)2.24       2.8○)5.88         1.5○)7.95
    200               560               750
    240               280               450
    240               280               450
      0                 0                 0
```

소수점을 오른쪽으로 한 자리씩 옮겨서 계산해 보세요.

```
      0.85              [3.2]            1 5.6
0.8○)0.68      2.1○)6.72         0.3○)4.68
    [64]              [63]              3
     40               42              1 6
    [40]              42              [15]
      0                0              [18]
                                      [18]
                                        0
```

```
      2.4              0.65             1.74
1.6)3.84       2.4)1.56          0.5)0.87
   32              144               37
   64              120               35
   64              120               2 0
    0                0               2 0
                                       0
```

★ 세로로 계산하기

① 나누는 수와 나누어지는 수를 모두 자연수가 되도록 식을 바꾸어 계산할 수 있습니다.
1.3)4.42 → 130)442
```
        3.4
   130)442
       390
       520
       520
         0
```
← 자연수끼리의 나눗셈에서 몫의 소수점은 자연수 바로 뒤에서 올려서 찍습니다.

② 나누는 수가 자연수가 되도록 식을 바꾸어 계산할 수 있습니다.
나누는 수와 나누어지는 수를 10배씩 한 몫과 100배씩 한 몫은 같습니다.
1.3)4.42 → 13)44.2
```
       3.4
   13)44.2
      39
      5 2
      5 2
        0
```

24·25쪽

58 소수의 나눗셈

빈칸에 알맞은 수를 써넣으세요.

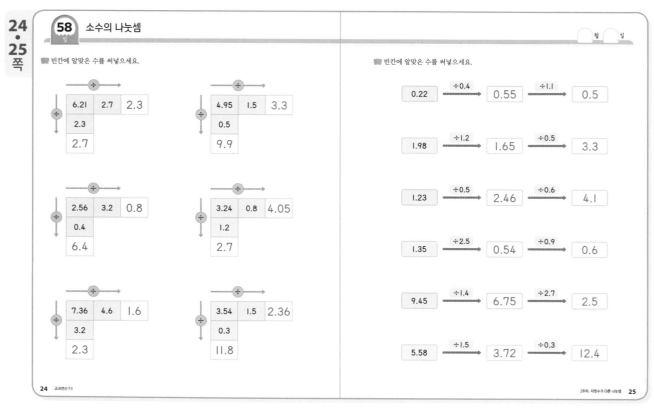

빈칸에 알맞은 수를 써넣으세요.

26·27쪽

59 계산 결과 비교하기

계산 결과가 같은 식에 ○표 하세요.

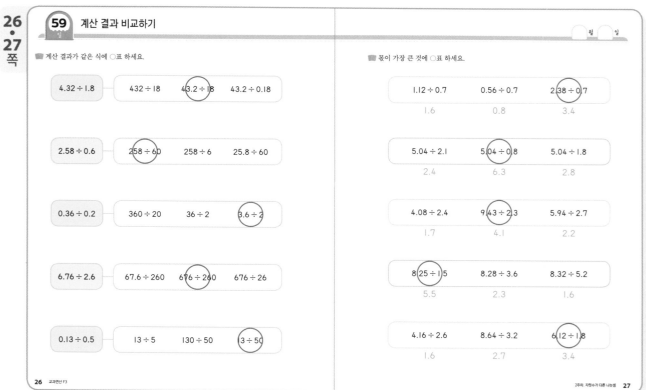

몫이 가장 큰 것에 ○표 하세요.

60 이야기하기

월 일

나눗셈식으로 나타내고 답을 구해 보세요.

직사각형의 가로는 세로의 몇 배일까요?

0.6m

1.08m

식 $1.08 \div 0.6 = 1.8$ 답 1.8 배

집에서 미술관까지의 거리는 집에서 학교까지 거리의 몇 배일까요?

집

1.2km

2.88km 학교

미술관

식 $2.88 \div 1.2 = 2.4$ 답 2.4 배

나눗셈식으로 나타내고 답을 구해 보세요.

텃밭에서 캔 고구마의 무게는 감자 무게의 몇 배일까요?

고구마	감자
8.25kg	3.3kg

식 $8.25 \div 3.3 = 2.5$ 답 2.5 배

강낭콩 줄기의 길이를 재었습니다. 현재 줄기의 길이는 처음 길이의 몇 배일까요?

처음 줄기의 길이	현재 줄기의 길이
1.6cm	5.44cm

식 $5.44 \div 1.6 = 3.4$ 답 3.4 배

양초에 불을 붙여 한 시간이 지났습니다. 처음 양초의 길이는 현재 길이의 몇 배일까요?

처음 양초의 길이	현재 양초의 길이
9.45cm	0.9cm

식 $9.45 \div 0.9 = 10.5$ 답 10.5 배

나눗셈식으로 나타내고 답을 구해 보세요.

수인이의 키는 1.54m, 진호의 키는 1.4m입니다. 수인이의 키는 진호 키의 몇 배일까요?

식 $1.54 \div 1.4 = 1.1$ 답 1.1 배

넓이가 6.38cm²인 직사각형이 있습니다. 이 직사각형의 가로가 2.9cm라면 세로는 몇 cm일까요?

식 $6.38 \div 2.9 = 2.2$ 답 2.2 cm

휘발유 1.7L로 9.01km를 갈 수 있는 자동차가 있습니다. 이 자동차가 휘발유 1L로는 몇 km를 갈 수 있을까요?

식 $9.01 \div 1.7 = 5.3$ 답 5.3 km

시유는 한 시간에 4.1km를 걷습니다. 같은 빠르기로 둘레가 3.28km인 호수 한 바퀴를 걷는다면 몇 시간이 걸릴까요?

식 $3.28 \div 4.1 = 0.8$ 답 0.8 시간

61 분수로 계산하기

월　일

■ 소수의 나눗셈을 분수의 나눗셈으로 바꾸어 계산해 보세요.

$36 \div 0.4 = \dfrac{360}{10} \div \dfrac{4}{10} = \boxed{360} \div \boxed{4} = \boxed{90}$

$5 \div 0.25 = \dfrac{500}{100} \div \dfrac{25}{100} = \boxed{500} \div \boxed{25} = \boxed{20}$

$30 \div 7.5 = \dfrac{\boxed{300}}{10} \div \dfrac{\boxed{75}}{10} = \boxed{300} \div \boxed{75} = \boxed{4}$

$24 \div 0.06 = \dfrac{\boxed{2400}}{100} \div \dfrac{\boxed{6}}{100} = \boxed{2400} \div \boxed{6} = \boxed{400}$

$32 \div 1.28 = \dfrac{\boxed{3200}}{100} \div \dfrac{\boxed{128}}{100} = \boxed{3200} \div \boxed{128} = \boxed{25}$

★ 분수로 계산하기

45는 $\dfrac{45}{1}$와 같으므로 $\dfrac{45}{1} = \dfrac{450}{10} = \dfrac{4500}{100}$입니다.

$45 \div 1.5 = \dfrac{450}{10} \div \dfrac{15}{10} = 450 \div 15 = 30$　　$45 \div 0.15 = \dfrac{4500}{100} \div \dfrac{15}{100} = 4500 \div 15 = 300$

■ 다음과 같이 소수의 나눗셈을 분수의 나눗셈으로 바꾸어 계산해 보세요.

$48 \div 1.2 = \dfrac{480}{10} \div \dfrac{12}{10} = 480 \div 12 = 40$

$3 \div 0.5 = \dfrac{30}{10} \div \dfrac{5}{10} = 30 \div 5 = 6$

$54 \div 2.7 = \dfrac{540}{10} \div \dfrac{27}{10} = 540 \div 27 = 20$

$5 \div 1.25 = \dfrac{500}{100} \div \dfrac{125}{100} = 500 \div 125 = 4$

$24 \div 0.02 = \dfrac{2400}{100} \div \dfrac{2}{100} = 2400 \div 2 = 1200$

$51 \div 0.68 = \dfrac{5100}{100} \div \dfrac{68}{100} = 5100 \div 68 = 75$

---

62 자연수로 계산하기

월　일

■ 자연수의 나눗셈을 이용하여 소수의 나눗셈을 계산해 보세요.

$32 \div 0.4 = \boxed{80}$
　10배　　10배
$320 \div 4 = \boxed{80}$

$3 \div 0.75 = \boxed{4}$
　100배　　100배
$300 \div 75 = \boxed{4}$

$6 \div 1.2 = \boxed{5}$
　10배　　$\boxed{10}$배
$60 \div 12 = \boxed{5}$

$50 \div 1.25 = \boxed{40}$
　100배　　$\boxed{100}$배
$5000 \div 125 = \boxed{40}$

$54 \div 4.5 = \boxed{12}$
　$\boxed{10}$배　　10배
$540 \div 45 = \boxed{12}$

$13 \div 0.52 = \boxed{25}$
　$\boxed{100}$배　　100배
$1300 \div 52 = \boxed{25}$

$144 \div 3.6 = \boxed{40}$
　$\boxed{10}$배　　$\boxed{10}$배
$1440 \div 36 = \boxed{40}$

$30 \div 3.75 = \boxed{8}$
　$\boxed{100}$배　　$\boxed{100}$배
$3000 \div 375 = \boxed{8}$

■ 계산해 보세요.

$91 \div 0.7 = 910 \div \boxed{7} = \boxed{130}$

$85 \div 3.4 = \boxed{850} \div 34 = \boxed{25}$

$9 \div 2.25 = \boxed{900} \div 225 = \boxed{4}$

$56 \div 0.07 = 5600 \div \boxed{7} = \boxed{800}$

$20 \div 0.8 = 25$　　　　$8 \div 0.25 = 32$

$14 \div 3.5 = 4$　　　　$60 \div 0.75 = 80$

$30 \div 0.3 = 100$　　　$57 \div 1.14 = 50$

63 세로로 계산하기

월 일

■ 빈칸에 알맞은 수를 써넣으세요.

```
         1 4 0
0.3 ) 4 2 0,
        3
        1 2
        1 2
          0
```

```
          5
3.6 ) 1 8 0,
      1 8 0
          0
```

```
          8 0
1.9 ) 1 5 2 0,
      1 5 2
          0
```

```
        3 2
0.25 ) 8 0 0,
       7 5
       5 0
       5 0
         0
```

```
          2 5
1.88 ) 4 7 0 0,
       3 7 6
       9 4 0
       9 4 0
         0
```

```
          4 0 0
0.09 ) 3 6 0 0,
       3 6
         0
```

★ 세로로 계산하기

나누어지는 수와 나누는 수에 같은 수를 곱해도 몫이 변하지 않으므로
나누는 수가 자연수가 되도록 소수점을 오른쪽으로 한 칸 또는 두 칸 옮겨 계산합니다.

```
              6 0
1.3 ) 7 8 0   →   1 3 ) 7 8 0
                       7 8
                         0
```

```
                     2 5
0.96 ) 2 4 0 0  →  9 6 ) 2 4 0 0
                       1 9 2
                         4 8 0
                         4 8 0
                             0
```

■ 계산을 하세요.

```
          2 5
0.6 ) 1 5,
      1 2
        3 0
        3 0
          0
```

```
          9 0
0.3 ) 2 7,
      2 7
        0
```

```
          6 5
1.2 ) 7 8,
      7 2
        6 0
        6 0
          0
```

```
          8
7.5 ) 6 0,
      6 0 0
          0
```

```
          4
6.5 ) 2 6,
      2 6 0
          0
```

```
          5
1.8 ) 9,
      9 0
        0
```

```
          1 2 5
0.04 ) 5,
       4
       1 0
        8
        2 0
        2 0
          0
```

```
          5 0
0.42 ) 2 1,
       2 1 0
           0
```

```
          7 5
1.24 ) 9 3,
       8 6 8
         6 2 0
         6 2 0
             0
```

---

64 나누어지는 수와 나누는 수

월 일

■ 빈칸에 알맞은 수를 써넣으세요.

36 ÷ 4 = 9
36 ÷ 0.4 = 90
36 ÷ 0.04 = 900

나누는 수가 $\frac{1}{10}$배, $\frac{1}{100}$배가 되면
몫은 10배, 100배가 됩니다.

50 ÷ 5 = 10
50 ÷ 0.5 = 100
50 ÷ 0.05 = 1000

121 ÷ 11 = 11
121 ÷ 1.1 = 110
121 ÷ 0.11 = 1100

0.21 ÷ 0.3 = 0.7
2.1 ÷ 0.3 = 7
21 ÷ 0.3 = 70

나누어지는 수가 10배, 100배가
되면 몫은 10배, 100배가 됩니다.

1.82 ÷ 0.07 = 26
18.2 ÷ 0.07 = 260
182 ÷ 0.07 = 2600

0.96 ÷ 0.24 = 4
9.6 ÷ 0.24 = 40
96 ÷ 0.24 = 400

■ 몫이 가장 큰 것에 ○표 하세요.

56 ÷ 0.8	⊙56 ÷ 0.08	56 ÷ 8
70	700	7

⊙120 ÷ 0.5	12 ÷ 0.5	1.2 ÷ 0.5
240	24	2.4

80 ÷ 0.4	80 ÷ 4	⊙80 ÷ 0.04
200	20	2000

28.4 ÷ 0.02	2.84 ÷ 0.02	⊙284 ÷ 0.02
1420	142	14200

195 ÷ 15	⊙195 ÷ 0.5	195 ÷ 1.5
13	1300	130

40·41쪽

40·41 쪽

65 이야기하기

🔲 나눗셈식으로 나타내고 답을 구해 보세요.

길이가 78km인 도로를 하루에 1.2km씩 정비한다고 합니다. 도로를 모두 정비하는 데 며칠이 걸릴까요?

식 $78 \div 1.2 = 65$ 답 65 일

화분 하나에 흙을 6.5kg씩 담으려고 합니다. 흙 52kg으로 화분을 몇 개 채울 수 있을까요?

식 $52 \div 6.5 = 8$ 답 8 개

주스가 6L 있습니다. 주스를 한 컵에 0.15L씩 따른다면 컵은 몇 개 필요할까요?

식 $6 \div 0.15 = 40$ 답 40 개

민서는 하루에 물을 1.25L씩 마십니다. 물 15L를 마시려면 며칠이 걸릴까요?

식 $15 \div 1.25 = 12$ 답 12 일

🔲 나눗셈식으로 나타내고 답을 구해 보세요.

트럭이 일정한 빠르기로 1시간 30분 동안 120km를 갔습니다. 이 트럭이 1시간 간 동안 거리는 몇 km일까요?

1시간 30분은 1.5시간입니다.   식 $120 \div 1.5 = 80$ 답 80 km

연우는 15분 동안 1km를 걷습니다. 같은 빠르기로 1시간 동안 걷는다면 몇 km를 걸을 수 있을까요?

식 $1 \div 0.25 = 4$ 답 4 km

민규가 농장에서 3시간 30분 동안 사과 49kg을 땄습니다. 1시간 동안 딴 사과는 몇 kg일까요?

식 $49 \div 3.5 = 14$ 답 14 kg

준서가 45분 동안 종이학 12개를 접었습니다. 같은 빠르기로 종이학을 접는다면 1시간 동안 접는 종이학은 몇 개일까요?

식 $12 \div 0.75 = 16$ 답 16 개

42쪽

42 쪽

🔲 물음에 답하세요.

포도 주스는 1.5L에 2400원, 오렌지 주스는 0.8L에 1200원입니다. 포도 주스와 오렌지 주스 중 어느 것이 더 저렴한지 물음에 답하세요.

포도 주스 1L는 얼마인가요?   (1600원)
$2400 \div 1.5 = 1600$(원)

오렌지 주스 1L는 얼마인가요?   (1500원)
$1200 \div 0.8 = 1500$(원)

포도 주스와 오렌지 주스 중 어느 것이 더 저렴한가요?   (오렌지 주스)

0.25kg짜리 콘 아이스크림은 2000원, 0.4kg짜리 컵 아이스크림은 3000원입니다. 콘과 컵 아이스크림 중 어느 것이 더 저렴한지 물음에 답하세요.

콘 아이스크림 1kg은 얼마인가요?   (8000원)
$2000 \div 0.2.5 = 8000$(원)

컵 아이스크림 1kg은 얼마인가요?   (7500원)
$3000 \div 0.4 = 7500$(원)

콘과 컵 아이스크림 중 어느 것이 더 저렴한가요?   (컵 아이스크림)
(또는 컵)

66 소수점의 위치 (1)

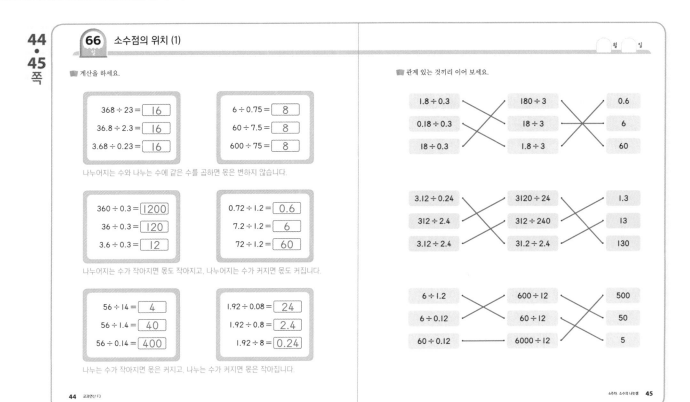

📖 계산을 하세요.

$368 \div 23 = \boxed{16}$
$36.8 \div 2.3 = \boxed{16}$
$3.68 \div 0.23 = \boxed{16}$

$6 \div 0.75 = \boxed{8}$
$60 \div 7.5 = \boxed{8}$
$600 \div 75 = \boxed{8}$

나누어지는 수와 나누는 수에 같은 수를 곱하면 몫은 변하지 않습니다.

$360 \div 0.3 = \boxed{1200}$
$36 \div 0.3 = \boxed{120}$
$3.6 \div 0.3 = \boxed{12}$

$0.72 \div 1.2 = \boxed{0.6}$
$7.2 \div 1.2 = \boxed{6}$
$72 \div 1.2 = \boxed{60}$

나누어지는 수가 작아지면 몫도 작아지고, 나누어지는 수가 커지면 몫도 커집니다.

$56 \div 14 = \boxed{4}$
$56 \div 1.4 = \boxed{40}$
$56 \div 0.14 = \boxed{400}$

$1.92 \div 0.08 = \boxed{24}$
$1.92 \div 0.8 = \boxed{2.4}$
$1.92 \div 8 = \boxed{0.24}$

나누는 수가 작아지면 몫은 커지고, 나누는 수가 커지면 몫은 작아집니다.

📖 관계 있는 것끼리 이어 보세요.

$1.8 \div 0.3$		$180 \div 3$		0.6
$0.18 \div 0.3$		$18 \div 3$		6
$18 \div 0.3$		$1.8 \div 3$		60

$3.12 \div 0.24$		$3120 \div 24$		1.3
$312 \div 2.4$		$312 \div 240$		13
$3.12 \div 2.4$		$31.2 \div 2.4$		130

$6 \div 1.2$		$600 \div 12$		500
$6 \div 0.12$		$60 \div 12$		50
$60 \div 0.12$		$6000 \div 12$		5

67 소수점의 위치 (2)

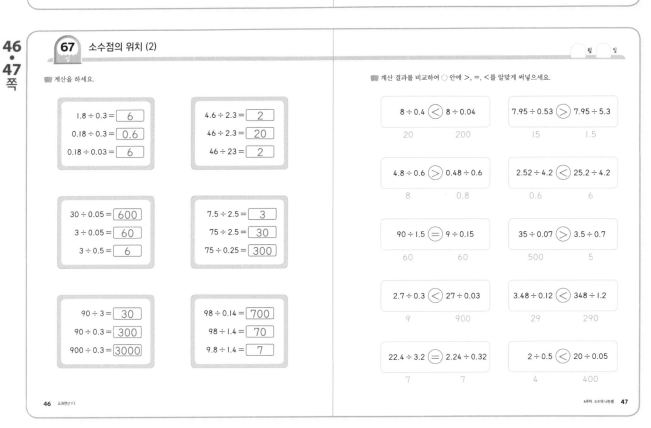

📖 계산을 하세요.

$1.8 \div 0.3 = \boxed{6}$
$0.18 \div 0.3 = \boxed{0.6}$
$0.18 \div 0.03 = \boxed{6}$

$4.6 \div 2.3 = \boxed{2}$
$46 \div 2.3 = \boxed{20}$
$46 \div 23 = \boxed{2}$

$30 \div 0.05 = \boxed{600}$
$3 \div 0.05 = \boxed{60}$
$3 \div 0.5 = \boxed{6}$

$7.5 \div 2.5 = \boxed{3}$
$75 \div 2.5 = \boxed{30}$
$75 \div 0.25 = \boxed{300}$

$90 \div 3 = \boxed{30}$
$90 \div 0.3 = \boxed{300}$
$900 \div 0.3 = \boxed{3000}$

$98 \div 0.14 = \boxed{700}$
$98 \div 1.4 = \boxed{70}$
$9.8 \div 1.4 = \boxed{7}$

📖 계산 결과를 비교하여 ○ 안에 >, =, <를 알맞게 써넣으세요.

$8 \div 0.4 \;\textcircled{<}\; 8 \div 0.04$
20   200

$7.95 \div 0.53 \;\textcircled{>}\; 7.95 \div 5.3$
15   1.5

$4.8 \div 0.6 \;\textcircled{>}\; 0.48 \div 0.6$
8   0.8

$2.52 \div 4.2 \;\textcircled{<}\; 25.2 \div 4.2$
0.6   6

$90 \div 1.5 \;\textcircled{=}\; 9 \div 0.15$
60   60

$35 \div 0.07 \;\textcircled{>}\; 3.5 \div 0.7$
500   5

$2.7 \div 0.3 \;\textcircled{<}\; 27 \div 0.03$
9   900

$3.48 \div 0.12 \;\textcircled{<}\; 348 \div 1.2$
29   290

$22.4 \div 3.2 \;\textcircled{=}\; 2.24 \div 0.32$
7   7

$2 \div 0.5 \;\textcircled{<}\; 20 \div 0.05$
4   400

정답

48·49쪽

68 큰 수, 작은 수

월 일

■ 큰 수를 작은 수로 나눈 몫을 구해 보세요.

3.4	6.8

(2)

17.5	2.5

(7)

4.27	0.7

(6.1)

1.28	5.12

(4)

0.6	1.44

(2.4)

0.25	8

(32)

22	4.4

(5)

4.68	2.6

(1.8)

■ 수 카드를 빈칸에 한 번씩 써넣어 계산 결과가 가장 큰 식을 만들고, 계산해 보세요.

3	6

$2.52 ÷ \boxed{3}.\boxed{6} = \underline{0.7}$

4	2

$16.8 ÷ \boxed{2}.\boxed{4} = \underline{7}$

계산 결과가 크려면 큰 수에서 작은 수를 나누어야 합니다.

5	1

$7.65 ÷ \boxed{1}.\boxed{5} = \underline{5.1}$

4	5

$27 ÷ \boxed{4}.\boxed{5} = \underline{6}$

1	8

$\boxed{8}.\boxed{1} ÷ 0.9 = \underline{9}$

8	4

$\boxed{8}.\boxed{4} ÷ 1.2 = \underline{7}$

7	5

$\boxed{7}\boxed{5} ÷ 0.3 = \underline{250}$

4	6

$\boxed{6}\boxed{4} ÷ 0.02 = \underline{3200}$

48 교과연산 F3

4주차 소수의 나눗셈 49

50·51쪽

69 바르게 계산하기

월 일

■ 나눗셈식을 잘못 계산하였습니다. 바르게 계산해 보세요.

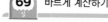

$$19.2 ÷ 0.8 = \frac{192}{100} ÷ \frac{80}{100} = 192 ÷ 80 = 2.4$$

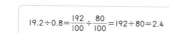

$$19.2 ÷ 0.8 = \frac{192}{10} ÷ \frac{8}{10} = 192 ÷ 8 = 24$$

$$720 ÷ 1.8 = \frac{72}{10} ÷ \frac{18}{10} = 72 ÷ 18 = 4$$

$$720 ÷ 1.8 = \frac{7200}{10} ÷ \frac{18}{10} = 7200 ÷ 18 = 400$$

$$51 ÷ 0.03 = \frac{510}{100} ÷ \frac{3}{100} = 510 ÷ 3 = 170$$

$$51 ÷ 0.03 = \frac{5100}{100} ÷ \frac{3}{100} = 5100 ÷ 3 = 1700$$

$$4.65 ÷ 3.1 = \frac{465}{100} ÷ \frac{31}{10} = 465 ÷ 31 = 15$$

$$4.65 ÷ 3.1 = \frac{465}{100} ÷ \frac{310}{100} = 465 ÷ 310 = 1.5$$

$$또는 \frac{46.5}{10} ÷ \frac{31}{10} = 46.5 ÷ 31 = 1.5$$

■ 나눗셈식을 잘못 계산하였습니다. 바르게 계산해 보세요.

```
        2.6
0.3 4 ) 8.8 4
        6 8
        2 0 4
        2 0 4
            0
```
→
```
         26
0.3 4 ) 8.8 4
        6 8
        2 0 4
        2 0 4
            0
```

```
       0.6 7
0.7 ) 4.6 9
       4 2
         4 9
         4 9
          0
```
→
```
        6.7
0.7 ) 4.6 9
       4 2
         4 9
         4 9
          0
```

```
       4.2
0.5 ) 2 1
      2 0
        1 0
        1 0
         0
```
→
```
        42
0.5 ) 2 1
      2 0
        1 0
        1 0
         0
```

소수점을 옮겨서 계산한 경우 몫의 소수점은 옮긴 위치에 찍어야 합니다.

50 교과연산 F3

4주차 소수의 나눗셈 51

12 교과연산 F3

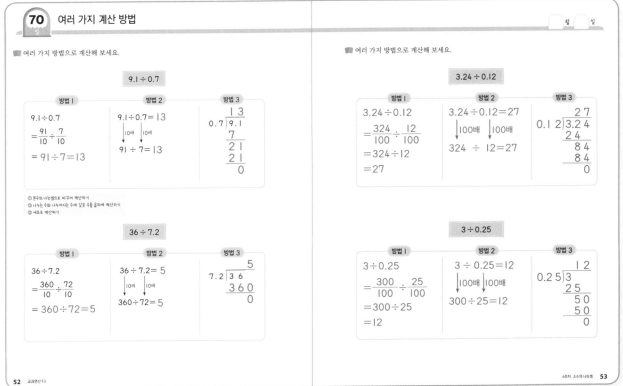

70 여러 가지 계산 방법

■ 여러 가지 방법으로 계산해 보세요.

$9.1 \div 0.7$

방법 1

$9.1 \div 0.7$
$= \dfrac{91}{10} \div \dfrac{7}{10}$
$= 91 \div 7 = 13$

방법 2

$9.1 \div 0.7 = 13$
10배 ↓ ↓10배
$91 \div 7 = 13$

방법 3

```
      1 3
0.7 ) 9.1
      7
      2 1
      2 1
      0
```

① 분수의 나눗셈으로 바꾸어 계산하기
② 나누는 수와 나누어지는 수에 같은 수를 곱하여 계산하기
③ 세로로 계산하기

$36 \div 7.2$

방법 1

$36 \div 7.2$
$= \dfrac{360}{10} \div \dfrac{72}{10}$
$= 360 \div 72 = 5$

방법 2

$36 \div 7.2 = 5$
10배 ↓ ↓10배
$360 \div 72 = 5$

방법 3

```
        5
7.2 ) 3 6
      3 6 0
      0
```

■ 여러 가지 방법으로 계산해 보세요.

$3.24 \div 0.12$

방법 1

$3.24 \div 0.12$
$= \dfrac{324}{100} \div \dfrac{12}{100}$
$= 324 \div 12$
$= 27$

방법 2

$3.24 \div 0.12 = 27$
100배 ↓ ↓100배
$324 \div 12 = 27$

방법 3

```
         2 7
0.1 2 ) 3.2 4
        2 4
        8 4
        8 4
        0
```

$3 \div 0.25$

방법 1

$3 \div 0.25$
$= \dfrac{300}{100} \div \dfrac{25}{100}$
$= 300 \div 25$
$= 12$

방법 2

$3 \div 0.25 = 12$
100배 ↓ ↓100배
$300 \div 25 = 12$

방법 3

```
        1 2
0.2 5 ) 3
        2 5
        5 0
        5 0
        0
```

■ 물음에 답하세요.

병에 소금을 0.3kg씩 담으려고 합니다. 소금이 7.2kg 있다면 병 몇 개에 나누어
담을 수 있는지 두 가지 방법으로 구해 보세요.

방법 1

$7.2 \div 0.3$
$= \dfrac{72}{10} \div \dfrac{3}{10} = 72 \div 3 = 24$

방법 2

```
        2 4
0.3 ) 7.2
      6
      1 2
      1 2
      0
```
또는

$7.2 \div 0.3 = 24$
10배 ↓ ↓10배
$72 \div 3 = 24$

답 ___24___ 개

답 ___24___ 개

은서네 집에 쌀이 27kg, 보리가 4.5kg 있습니다. 쌀의 무게는 보리 무게의 몇 배
인지 두 가지 방법으로 구해 보세요.

방법 1

$27 \div 4.5$
$= \dfrac{270}{10} \div \dfrac{45}{10}$
$= 270 \div 45 = 6$

방법 2

```
        6
4.5 ) 2 7
      2 7 0
      0
```
또는

$27 \div 4.5 = 6$
10배 ↓ ↓10배
$270 \div 45 = 6$

답 ___6___ 배

답 ___6___ 배

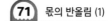

56·57쪽

71 몫의 반올림 (1)

월 일

■ 몫을 소수 셋째 자리까지 계산하였습니다. 빈칸에 알맞은 수를 써넣으세요.

10÷7의 몫을

반올림하여 일의 자리까지 나타내면 **1** 입니다.

반올림하여 소수 첫째 자리까지 나타내면 **1.4** 입니다.

반올림하여 소수 둘째 자리까지 나타내면 **1.43** 입니다.

2.3÷0.6의 몫을

반올림하여 일의 자리까지 나타내면 **4** 입니다.

반올림하여 소수 첫째 자리까지 나타내면 **3.8** 입니다.

반올림하여 소수 둘째 자리까지 나타내면 **3.83** 입니다.

■ 몫을 소수 셋째 자리까지 계산하고, 빈칸에 알맞은 수를 써넣으세요.

7÷11의 몫을

반올림하여 일의 자리까지 나타내면 **1** 입니다.

반올림하여 소수 첫째 자리까지 나타내면 **0.6** 입니다.

반올림하여 소수 둘째 자리까지 나타내면 **0.64** 입니다.

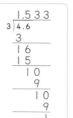

4.6÷3의 몫을

반올림하여 일의 자리까지 나타내면 **2** 입니다.

반올림하여 소수 첫째 자리까지 나타내면 **1.5** 입니다.

반올림하여 소수 둘째 자리까지 나타내면 **1.53** 입니다.

58·59쪽

72 몫의 반올림 (2)

월 일

■ 물음에 답하세요.

몫을 반올림하여 일의 자리까지 나타내어 보세요.

1÷3 ➡ **0**
1÷3=0.3······

3.4÷0.7 ➡ **5**
3.4÷0.7=4.8······

55÷9 ➡ **6**
55÷9=6.1······

몫을 반올림하여 소수 첫째 자리까지 나타내어 보세요.

25÷7 ➡ **3.6**
25÷7=3.57······

1.6÷3 ➡ **0.5**
1.6÷3=0.53······

10÷13 ➡ **0.8**
10÷13=0.76······

몫을 반올림하여 소수 둘째 자리까지 나타내어 보세요.

16÷9 ➡ **1.78**
16÷9=1.777······

40÷0.6 ➡ **66.67**
40÷0.6=66.666······

5.2÷3 ➡ **1.73**
5.2÷3=1.733······

■ 계산 결과를 비교하여 ○ 안에 >, =, <를 알맞게 써넣으세요.

57÷7의 몫을 반올림하여 일의 자리까지 나타낸 수 **<** 57÷7
8   8.142······

2.5÷0.3의 몫을 반올림하여 소수 첫째 자리까지 나타낸 수 **<** 2.5÷0.3
8.3   8.333······

1.3÷6의 몫을 반올림하여 소수 둘째 자리까지 나타낸 수 **>** 1.3÷6
0.22   0.216······

6.8÷9의 몫을 반올림하여 일의 자리까지 나타낸 수 **>** 6.8÷9의 몫을 반올림하여 소수 첫째 자리까지 나타낸 수
1   0.8

5÷11의 몫을 반올림하여 소수 첫째 자리까지 나타낸 수 **>** 5÷11의 몫을 반올림하여 소수 둘째 자리까지 나타낸 수
0.5   0.45

73 이야기하기

일

나눗셈식으로 나타내고 답을 구해 보세요.

연필의 길이는 17cm, 크레파스는 6cm입니다. 연필의 길이는 크레파스 길이의 몇 배인지 반올림하여 일의 자리까지 나타내어 보세요.

예 식 $17 \div 6 = 2.8\cdots\cdots$ 답 3 배

우유 3.5L를 9명이 똑같이 나누어 마시려고 합니다. 한 사람이 마실 수 있는 우유는 몇 L인지 반올림하여 소수 첫째 자리까지 나타내어 보세요.

예 식 $3.5 \div 9 = 0.38\cdots\cdots$ 답 0.4 L

성재는 일정한 빠르기로 2시간 동안 7km를 걸었습니다. 성재가 1km를 걷는 데는 몇 시간이 걸렸는지 반올림하여 소수 첫째 자리까지 나타내어 보세요.

예 식 $2 \div 7 = 0.28\cdots\cdots$ 답 0.3 시간

1m²의 벽에 페인트를 칠하는 데 0.3L의 페인트가 필요합니다. 2L의 페인트로 칠할 수 있는 벽은 몇 m²인지 반올림하여 소수 둘째 자리까지 나타내어 보세요.

예 식 $2 \div 0.3 = 6.666\cdots\cdots$ 답 6.67 m²

나눗셈식으로 나타내고 답을 구해 보세요.

둘레가 16cm인 정삼각형의 한 변의 길이는 몇 cm인지 반올림하여 일의 자리까지 나타내어 보세요.

예 식 $16 \div 3 = 5.3\cdots\cdots$ 답 5 cm

둘레가 26.4cm인 정칠각형의 한 변의 길이는 몇 cm인지 반올림하여 소수 첫째 자리까지 나타내어 보세요.

예 식 $26.4 \div 7 = 3.77\cdots\cdots$ 답 3.8 cm

지아는 일주일 동안 물을 8.9L 마셨습니다. 지아는 하루 평균 몇 L의 물을 마셨는지 반올림하여 소수 첫째 자리까지 나타내어 보세요.

예 식 $8.9 \div 7 = 1.27\cdots\cdots$ 답 1.3 L

민우는 지난 1년 동안 텃밭에서 방울토마토 50kg을 땄습니다. 민우는 한 달 평균 몇 kg의 방울토마토를 땄는지 반올림하여 소수 둘째 자리까지 나타내어 보세요.

예 식 $50 \div 12 = 4.166\cdots\cdots$ 답 4.17 kg

---

74 나누어 주고 남는 양 (1)

월 일

빈칸에 알맞은 수를 써넣으세요.

| 3 | 3 | 3 | 3 |

13.4m

끈 13.4m를 한 사람에 3m씩 나누어 주려고 합니다.

$13.4 - 3 - 3 - \boxed{3} - \boxed{3} = \boxed{1.4}$ 이므로

끈을 \boxed{4} 명에게 나누어 주고, 끈은 \boxed{1.4} m가 남습니다.

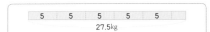

| 5 | 5 | 5 | 5 | 5 |

27.5kg

밀가루 27.5kg을 한 봉지에 5kg씩 나누어 담으려고 합니다.

$27.5 - \boxed{5} - \boxed{5} - \boxed{5} - \boxed{5} - \boxed{5} = \boxed{2.5}$ 이므로

봉지 \boxed{5} 개에 나누어 담고, 밀가루는 \boxed{2.5} kg이 남습니다.

 덜어내기와 나누어 주기

주스 9.2L를 한 사람에 2L씩 나누어 줄 때
9.2에서 2L씩 계속 덜어내는 방법으로 나누어 줄 수 있는 사람 수와 남는 주스 양을 구할 수 있습니다.

$9.2 - 2 - 2 - 2 - 2 = 1.2$

2를 4번 뺄 수 있으므로 4명에게 나누어 주고, 남는 주스 양은 1.2L입니다.

물음에 답하세요.

사과 8.6kg을 한 상자에 2kg씩 담으려고 합니다. 몇 상자에 담을 수 있고, 남는 사과는 몇 kg일까요?

담을 수 있는 상자 수: (4)상자, 남는 사과의 양 (0.6)kg

$8.6 - 2 - 2 - 2 - 2 = 0.6$

페인트 16.8L를 한 사람에 4L씩 나누어 주려고 합니다. 몇 명에게 나누어 줄 수 있고, 남는 페인트는 몇 L일까요?

나누어 줄 수 있는 사람 수: (4)명, 남는 페인트의 양 (0.8)L

$16.8 - 4 - 4 - 4 - 4 = 0.8$

재활용 종이 17.4kg을 3kg씩 묶으려고 합니다. 몇 묶음으로 묶을 수 있고, 남는 재활용 종이는 몇 kg일까요?

묶음 수: (5)묶음, 남는 재활용 종이의 양 (2.4)kg

$17.4 - 3 - 3 - 3 - 3 - 3 = 2.4$

리본 하나를 만드는 데 끈 3m가 필요합니다. 끈 10m로 리본을 몇 개 만들 수 있고, 남는 끈은 몇 m일까요?

만들 수 있는 리본 수: (3)개, 남는 끈의 길이 (1)m

$10 - 3 - 3 - 3 = 1$

64·65쪽

75 나누어 주고 남는 양 (2)

월   일

📖 빈칸에 알맞은 수를 써넣으세요.

$$5\overline{)18.4}$$
3
15
3.4

고구마 18.4kg을 한 상자에 5kg씩 담으면
③ 상자에 담을 수 있고, 고구마는 3.4kg이 남습니다.
상자 수는 소수가 아닌 자연수이므로 몫을 자연수까지만 구합니다.

$$2\overline{)17.5}$$
8
16
1.5

끈 17.5m를 한 사람에 2m씩 나누어 주면
⑧ 명에게 나누어 줄 수 있고, 끈은 1.5m가 남습니다.

$$3\overline{)26.2}$$
8
24
2.2

물 26.2L를 한 통에 3L씩 나누어 담으면
⑧ 컵에 담을 수 있고, 물은 2.2L가 남습니다.

★ **세로셈과 나누어 주기**

주스 9.2L를 2L씩 나누어 줄 때 나눗셈을 세로로 계산하여
몫을 자연수까지만 구하면 나누어 줄 수 있는 사람 수와 남는 주스 양을 구할 수 있습니다.

한 사람이 가지는 주스 양 → $2\overline{)9.2}$ ← 나누어 줄 수 있는 사람 수
나누어 주는 주스 양 → 8
1.2 ← 남는 주스 양

자연수까지 구한 몫이 4이고, 나머지가 1.2이므로
4명에게 나누어 주고, 남는 주스 양은 1.2L입니다.

📖 물음에 답하세요.

$$3\overline{)21.7}$$
7
21
0.7

쌀 21.7kg을 한 봉지에 3kg씩 담으려고 합니다. 몇 봉지에 담을 수 있고, 남는 쌀은 몇 kg일까요?

담을 수 있는 봉지 수: (7)봉지, 남는 쌀의 양 (0.7)kg

$$2\overline{)25.3}$$
12
2
5
4
1.3

찰흙 25.3kg을 한 사람에 2kg씩 나누어 주려고 합니다. 몇 명에게 나누어 줄 수 있고, 남는 찰흙은 몇 kg일까요?

나누어 줄 수 있는 사람 수: (12)명, 남는 찰흙의 양 (1.3)kg

$$5\overline{)43.6}$$
8
40
3.6

농장에서 수확한 귤 43.6kg을 한 상자에 5kg씩 담으려고 합니다. 몇 상자에 담을 수 있고, 남는 귤은 몇 kg일까요?

담을 수 있는 상자 수: (8)상자, 남는 귤의 양 (3.6)kg

$$4\overline{)27.5}$$
6
24
3.5

상자 하나를 묶는 데 끈이 4m가 필요합니다. 끈 27.5m로 똑같은 크기의 상자를 몇 개까지 묶을 수 있고, 남는 끈은 몇 m일까요?

묶을 수 있는 상자 수: (6)상자, 남는 끈의 길이 (3.5)m

66쪽

📖 물음에 답하세요.

소금 14.5kg을 한 봉지에 3kg씩 담으려고 합니다. 담을 수 있는 봉지 수와 남는 소금의 양을 두 가지 방법으로 구해 보세요.

방법 1

$$14.5-3-3-3-3=2.5$$

담을 수 있는 봉지 수: ④ 봉지
남는 소금의 양: 2.5 kg

방법 2

$$3\overline{)14.5}$$
4
12
2.5

담을 수 있는 봉지 수: ④ 봉지
남는 소금의 양: 2.5 kg

귤 40.3kg을 한 사람에 7kg씩 나누어 주려고 합니다. 나누어 줄 수 있는 사람 수와 남는 귤의 양을 두 가지 방법으로 구해 보세요.

방법 1

$$40.3-7-7-7-7-7$$
$$=5.3$$

나누어 줄 수 있는 사람 수: ⑤ 명
남는 귤의 양: 5.3 kg

방법 2

$$7\overline{)40.3}$$
5
35
5.3

나누어 줄 수 있는 사람 수: ⑤ 명
남는 귤의 양: 5.3 kg

하루 한 장 75일
집중 완성

교과 연산

"연산을 이해하려면 수를 먼저 이해해야 합니다."

"계산은 문제를 해결하는 하나의 과정입니다."

"교과연산은 상황을 판단하는 능력을 길러줍니다."